A M U

Desde Atenas, quinientos años antes de la Era Cristiana,
la librería es el único establecimiento que con devoción
por la cultura acoge la obra múltiple de autores y
editores y la hace llegar a manos del público lector.

Todo aquel que entra en una librería rinde tributo
a la tradición secular de la cultura, y al propio tiempo
goza del ambiente de estos santuarios de la vida
intelectual, que son únicos e insustituibles.

El librero, profesional de la cultura, ejerce un ministerio
preeminente: guardar y ofrecer a todos cuanto el
espíritu de la humanidad ha dejado escrito.

4000 AÑOS DE ARQUITECTURA MEXICANA
YEARS OF MEXICAN ARCHITECTURE
ANS D'ARCHITECTURE MEXICAINE
JAHREN ARCHITEKTOR IN MEXIKO

PRESENTACION

*La Sociedad de Arquitectos Mexicanos y el Colegio Nacio-
nal de Arquitectos de México presentan en "4000 Años de
Arquitectura Mexicana" un resumen histórico del desarrollo
de la arquitectura mexicana a partir de la cultura prehispánica
con el objeto fundamental de lograr un amplio conocimiento
de las raíces, influencias y realizaciones más características de
la arquitectura en México.*

Arq. Pedro Ramírez Vázquez
Presidente.

PRESENTATION

*The Society of Mexican Architects and the National College
of Architects of Mexico present in "4000 Years of Mexican
Architecture" a historical summary of the development of
Mexican architecture, beginning with the prehispanic culture.
The basic aim is to obtain an ample knowledge about the
most characteristic roots, influences, and achievements of architecture in Mexico.*

Architect Pedro Ramírez Vázquez
President.

PRÉSENTATION

*La Société des Architectes Mexicains et le Collège National
des Architectes de Mexico, présentent "4000 ans d'Architecture Mexicaine"; résumé historique du développement de
l'architecture mexicaine à partir de la culture préhispanique,
avec l'objet fondamental d'obtenir une plus ample connais-
sance des racines, des influences et des réalisations les plus
caracteristiques de l'architecture au Mexique.*

Architecte Pedro Ramírez Vázquez
Président.

EINLEITUNG

*Die Vereinigung Mexikanischer Architekten und das Natio-
nale Kollegium der Architekten Mexikos ueberreichen der
Oeffentlichkeit in ihrem Werk "4000 Jahren Architektor in
Mexico" eine geschichtliche Zusammenfassung der architektonischen Entwicklung in Mexiko, von der praehispanischen
Kultur an, um somit eine weitere Unterlage fuer das Versta-
endnis der characteristischen Wurzeln, Einfluesse und Schaf-
fungen der mexikanischen Architektur zu legen.*

Architekt Pedro Ramírez Vázquez
Praesident.

SOCIEDAD DE ARQUITECTOS MEXICANOS
COLEGIO NACIONAL DE ARQUITECTOS DE MÉXICO

4000

AÑOS DE ARQUITECTURA MEXICANA
YEARS OF MEXICAN ARCHITECTURE
ANS D'ARCHITECTURE MEXICAINE
JAHREN ARCHITEKTOR IN MEXIKO

LIBREROS MEXICANOS UNIDOS, S. DE R.L. DE C.V. MEXICO

Esta edición es propiedad de
LIBREROS MEXICANOS UNIDOS, S. de R. L. de C. V.
México.

1765028

HACE 4000 AÑOS EN CUICUILCO, MEXICO
4000 YEARS AGO IN CUICUILCO, MEXICO
IL Y A 4000 ANS A CUICUILCO, MEXICO
VOR 4000 JAHREN IN CUICUILCO, MEXIKO

| ERUPCIÓN DEL XITLE.
Pintura de Jorge González
Camarena.

| ERUPTION OF XITLE.
Painting by Jorge Gonzalez
Camarena.

| ERUPTION DU XITLE.
Peinture de Jorge Gonzalez
Camarena.

| AUSBRUCH DES XITLE.
Gemaelde von Jorge
Gonzalez Camarena.

HACE 4000 AÑOS EN CUICUILCO, MEXICO

En el centro geográfico de América, en las tierras de la altiplanicie mexicana, de límpida atmósfera (2.200 mts. de altitud) surgió hace 4000 años la primera floración en América de una cultura superior. Como símbolo de ese nacer del hombre americano a las altas manifestaciones del espíritu, sus primeros pasos se desarrollan en lucha titánica con los últimos estertores geológicos de la formación del Valle de México. La erupción del Xitle, ocurrida en el primer milenio A. de C. cubre con su manto de lava la ciudad ceremonial de Cuicuilco,

floración la más interesante de esta primera cultura que denominamos "Arcaica". Su restos permanecerán en el olvido, hasta que la piqueta del arqueólogo los devuelva a la vida, en la época actual.

La cultura "Arcaica" interesante por diferentes motivos (principios de la agricultura, bellas figurillas humanas ejecutadas en barro, etc.) plasma su carácter fundamental en una manifestación que acontece por primera vez en América: la ARQUITECTURA.

La llamada pirámide de *Cuicuilco,* es la expresión concreta de una época, materializada por un basamento circular de 140 mts. de diámetro, varios cuerpos escalonados, en los que la enorme masa de piedra, de líneas horizontales, se encuentra hendida marcando su eje principal por la escalinata de acceso a su parte superior. Esa masa constructiva compacta, se ve animada por un elemento que perdurará a través de todas las arquitecturas mexicanas posteriores: el "color". Han hecho su aparición expresiva dos elementos estéticos en esa arquitectura, la forma geométricamente perfecta del *círculo* y el *color.*

Esa cultura y su manifestación más importante, la Arquitectura, que nacen entre las brumas de la prehistoria y la geología, llevan 4000 años de vida ininterrumpida en las tierras de la altiplanicie mexicana.

4000 YEARS AGO IN CUICUILCO, MEXICO

Four thousand years ago, in the crystal-clear atmosphere of the Mexican plateau, which lies at 2,200 metres (7,260 ft.) above sea level and at the geographical centre of America, there arose the first higher culture of that continent. It is symbolic of this initiation of American man into the more advanced activities of the mind that his first steps were taken in the midst of a titanic struggle against the last of the geological convulsions that resulted in the formation of the Valley of Mexico. The eruption of the Xitle volcano, which occurred about 500 B.C., caused the disappearance under a layer of lava of the sacred city of Cuicuilco, the most interesting monument of that first culture, which we call the *Archaic.* Its remains were to lie forgotten until the archaeologist's pick brought them to light in our own day.

The *Archaic* culture, which is interesting for various reasons (the beginnings of agriculture, beautiful little human figures in clay, etc.) shows its fundamental character in one aspect, which occurs for the first time in America: ARCHITECTURE.

The so-called *Cuicuilco* pyramid, the concrete expression of an epoch, consists of a circular base 140 metres (462 ft.) in diameter, upon which rest several stepped-in layers whose enormous mass of horizontally-laid stone is divided on its major axis by the stairway which leads to the summit. This compact mass of building is marked by a characteristic that is found to persist throughout all later Mexican architecture:

colour. Thus two aesthetic elements have made a significant appearance in this architecture: the geometrically perfect form of the *circle,* and *colour.*

This culture and its most important manifestation —architecture— born amid the mists of prehistory and geology, have therefore had an uninterrupted existence of 4,000 years on the Mexican plateau.

IL Y A 4000 ANS A CUICUILCO, MEXICO

Dans le centre géographique de l'Amérique, sur les hauts plateaux mexicains à l'atmosphère limpide (2.200 mètres d'altitude) a surgi, il y a 4.000 ans, la première floraison d'une culture supérieure en Amérique. Comme symbole de cet avènement de l'homme américain aux hautes manifestations de l'esprit, celui-ci dut à ses tous premiers pas, se livrer à une lutte titanesque avec les derniers soubresauts géologiques de la formation de la Vallée du Mexique. L'éruption du volcan Xitle qui eut lieu environ 500 ans avant J. C. recouvre de son manteau de lave la ville "cérémoniale" de Cuicuilco qui nous a donné la floraison la plus intéressante de cette première culture que nous appelons "archaïque". Ses restes resteront dans l'oubli jusqu'à ce que la pioche de l'archéologue les rende a la vie a notre époque.

La culture "archaïque", intéressante pour différents motifs (commencement de l'agriculture, jolies figurines humaines exécutées en terre glaise, etc.) retire son caractère fondamental

d'une manifestation que l'on trouve pour la première fois en Amérique: l'ARCHITECTURE.

La pyramide dénommée "de Cuicuilco" est l'expression concrète d'une époque; elle a une base circulaire de 140 mts. de diamètre supportant plusieurs corps de bâtiment échelonnés et l'énorme masse de pierre aux lignes horizontales se trouve fendue par l'escalier qui donne accès à la partie supérieure et forme, pour ainsi dire, son axe principal. Cette masse de construction compacte est animée par un élément que nous retrouverons dans toutes les architectures mexicaines postérieures: la "couleur". Deux éléments esthétiques ont fait leur apparition expressive dans cette architecture, la forme géométrique parfaite du *cercle* et la *couleur.*

Cette culture et sa manifestation la plus importante, l'Architecture, qui naquirent au milieu des brumes de la préhistoire et de la *géologie* sur les hauts plateaux mexicains, sont maintenant vieilles de plus de 4.000 ans.

VOR 4000 JAHREN IN CUICUILCO, MEXICO

Im geographischen Zentrum Amerikas, auf der mexikanischen Hochebene, entfaltete sich vor 4000 Jahren in klarer Hoehenluft (2.200 m hoch) die erste Bluete einer hoeheren Kultur in Amerika. Es ist symbolisch fuer das Erwachen der geistigen Ausdrucksfaehigkeiten des amerikanischen Menschen, dass dieser seine ersten Schritte in titanischem Kampf mit den letzten geologischen Umformungen des Tales von Mexiko ausfuehren musste. Der Ausbruck des Vulkans Xitle

waehrend des ersten Jahrtausends v. Ch. bedeckt die Zeremonial-Stadt Cuicuilco, der interessanteste Hoehepunkt dieser ersten Kultur, "Arcaico" gennant, mit Lava. Ihre sonstigen Reste werden unbekannt bleiben, bis die Hacke der jetzigen und zukuenftigen Archeologen sie der Wissenschaft erschliesst.

Die archaische Kultur, die aus verschiedenen Gruenden interessant ist (Anfaenge des Ackerbaus, huebsche menschendarstellende Tonfiguren, etc.), fand ihren wesentlichen Charakterzug in einer Ausdrucksform, die zum ersten Mal in Amerika in Erscheinung trat, DIE ARCHITEKTUR.

Die Pyramide Cuicuilco ist der lebendige Ausdruck einer Epoche; ihr kreisfoermiger Grundbau hat einen Durchmesser von 140 m und traegt mehrere Bauschichten in stufenfoermiger Anordnung. Die horizontale Linienfuehrung dieser enormen Steinmassen wird durch den Einschnitt des Stufenaufgangs unterbrochen, der zum obreren Teil des Bauwerks fuehrt und gleichzeitig so die Hauptachse bildet.

Diese Massen kompakten Bauwerks werden durch ein Element, das durch saemtliche folgende mexikanische Architekturen beibehalten wird, belebt: die Farbe. Zwei aesthetische Elemente dieser Architektur treten hier zum ersten Mal in ausdrucksvoller Weise auf: die geometrisch perfekte Form des Kreises und die Farbe.

Diese Kultur and ihre bedeutendste Ausdrucksform, die Architektur, deren Geburtsstunde in den Nebeln der Vorgeschichte und der Geologie liegt, schauen auf 4000 Lebensjahre in der mexikanischen Hochebene zurueck.

2 PIRÁMIDE DE CUICUILCO.
San Angel, D. F.
Cultura arcaica.

2 PYRAMID OF CUICUILCO.
San Angel, D. F.
Archaic period.

2 PYRAMIDE DE CUICUILCO.
San Angel, D. F.
Culture archaique.

2 PYRAMIDE VON CUICUILCO.
San Angel, D. F.
Archaische Kultur.

RAIZ DE NUESTRA CULTURA
ROOT OF OUR CULTURE
LA RACINE DE NOTRE CULTURE
DIE WURZELN UNSERER KULTUR

3   VISTA GENERAL DE
       TEOTIHUACÁN.
       Teotihuacán, Valle de
       México.
       Dibujo reconstructivo.

3   PANORAMIC VIEW OF
       TEOTIHUACAN.
       Teotihuacan, Valley of
       Mexico.
       Restoration of Old City,
       drawing.

3   VUE GENERALE DE
       TEOTIHUACAN.
       Teotihuacan, Vallée de
       Mexico.
       Dessin de reconstruction.

3   GESAMTANSICHT VON
       TEOTIHUACAN
       Teotihuacan, Tal von Mexiko.
       Rekonstruktionszeichnung.

RAÍZ DE NUESTRA CULTURA

El centro actual de la República Mexicana y las regiones adyacentes de Centroamérica fueron el asiento de las culturas más desarrolladas de la América Indígena.

Se pueden distinguir dos grandes áreas geográficas, como marco natural en que nacieron y vivieron las altas culturas de México: las tierras secas y semiáridas del altiplano y las selvas húmedas, y vegetación lujuriante, del Sureste de México.

Cronológicamente se desenvuelven ambas, en tres ciclos culturales, el despertar del Horizonte Arcaico (2000 A.C. — 100 años A.C.), la madurez del Horizonte Clásico (100 A.C. — 950) y la época del movimiento, agitación y lucha del Horizonte Militarista que termina con la conquista española (950-1521).

Teotihuacán, en el Valle de México, es el lugar en que se lleva a cabo por primera vez la revolución urbana, o sea el paso de los pequeños poblados del período Arcaico a los grandes centros ceremoniales del Clásico. Su carácter arquitectónico peculiar, ha sido perseguido con tenacidad artística a través de todo su crecimiento: es la ciudad sagrada de colosales monumentos, ciudad del silencio y la austeridad, en la que el arquitecto se ha expresado a través de la rigidez y la sequedad de la línea recta, combinadas con la "organización" del espacio externo conformado por volúmenes arquitectónicos. Su edificio más importante y quizás el más antiguo, la Pirámide del Sol, tiene un volumen de 1,250.000 m³., cubriendo una superficie de 52.000 m²

Frente al carácter exclusivamente arquitectónico y urbanístico de Teotihuacán, la ciudad de Tula, marca el triunfo de lo decorativo y escultórico, del afán de lujo y de riqueza, correspondientes al pueblo Tolteca, así como Xochicalco plasma la concepción de una ciudad, conjunto de edificios y templos, a la cual se le ha dado la forma de un grandioso basamento escalonado.

La región Sureste de México crece en lucha incesante con la selva húmeda tropical, que, junto con la cultura de Cambodia, forman las únicas grandes culturas en el mundo, en ese tipo de "habitat" geográfico. La selva encierra en su prisión verde, en la vasta región entre el norte de Yucatán, en las Tierras Altas de Guatemala y el valle del Río Motagua, cientos de ciudades de la antigua cultura maya.

Para aquilatar un poco la fuerza creadora de los antiguos mayas, basta citar como ejemplo la actividad constructiva de la ciudad de Tikal, con sus seis enormes templos, el mayor de los cuales alcanza una altura de 74 mts. o sea una masa piramidal compacta de mayor altura que las torres de la catedral de Nuestra Señora de París.

Frente a estos datos, que nos muestran la pujanza constructora de la cultura maya, se necesita hacer resaltar la exquisitez del sentido de la forma en este pueblo, revelado en las proporciones de los elementos arquitectónicos, en los detalles decorativos, los relieves escultóricos y las pinturas murales. El mejor ejemplo de ese sentido de la forma hace su aparición en las grandes metrópolis del Norte de Yucatán, Chichén-Itzá, Uxmal, Kabáh, Tulúm, por no citar más que las principales.

ROOT OF OUR CULTURE

The present centre of the Republic of Mexico and the adjacent regions of Central America were the site of the most highly-developed cultures of the American Indian.

Two great geographical areas may be pointed out as the natural settings in which the high cultures of Mexico originated and developed: The dry, semi-arid lands of the plateau, and the moist jungles of South-East Mexico with their luxuriant vegetation.

Chronologically there are three cultural cycles: the dawn, or the Archaic epoch (2000-100 B.C.), the maturity, or the Classical period (100 B.C.-950 A.D.) and the age of unrest and strife, or the Militarist period (950-1521) which ends with the Spanish conquest.

Teotihuacán, in the Valley of Mexico, is the place where the urban revolution, that is, the change over from the small towns of the Archaic epoch to the great ritual centres of the Classical period, was first carried through. Its peculiar architectural character was copied with artistic tenacity all through its period of growth; it is the sacred city of gigantic monuments, the city of silence and austerity, in which the architect has expressed himself in the rigidity and severity of the straight line, combined with the grouping of the external spaces under the control of the architectural masses. Its largest, and perhaps its oldest, erection, the Pyramid of the Sun, has a volume of one-and-a-quarter million cubic metres (1.6 million cubic yards) and occupies an area of 52,000 square metres (62,200 square yards).

In contrast with the exclusively architectural and urbanistic character of Teotihuacán, the city of Tula exhibits the triumph of decoration and sculpture, of the love of luxury and riches, which were typical of the Toltec race, while Xochicalco expresses the concepto of a town in an aggregate of buildings and temples which received the form of a splendid stepped-in pyramidal base.

The South-Eastern region of Mexico grew in the midst of an incessant struggle against the damp tropical jungle which, except for the culture of Cambodia, is the only great culture in the world to have developed in this type of habitat. Hundreds of cities of the ancient Maya culture are enclosed in a green prison in the vast region which, including the Highlands of Guatemala, extends from the north coast of Yucatán to the valley of the Motagua river.

To give a slight idea of the creative force of the ancient Mayas it will be sufficient to quote as an example the energy displayed in the building of the city of Tikal with its six enormous temples, the largest of which rises to a height of 74 metres (253 ft.) — in other words a compact pyramidal mass higher than the towers of the Cathedral of Notre Dame in Paris.

In addition to these facts which show the constructive energy of the Mayan culture, one must emphasize their exquisite sense of form, which is revealed in the proportions of their architecture, in the decorative details, the sculptural reliefs and the wall paintings. The best examples of this sense of form flourished in the great cities of northern Yucatán, such as Chichén-Itzá, Uxmal, Kabáh, and Tulúm, only to mention the most important ones.

Le centre actuel de la République Mexicaine et les régions adjacents de l'Amérique Centrale furent le foyer des cultures les plus développées de l'Amérique indigène.

On peut distinguer deux grandes superficies géographiques comme constituant le cadre naturel dans lequel les hautes cultures de México sont nées et ont vécu: les terres sèches et semi-arides des hauts plateaux et les forêts humides à la végétation luxuriante du Sud-Est du Mexique.

Chronologiquement, elles se déroulent suivant trois cycles culturels: l'éveil de l'époque archaïque (2.000 ans avant J. C. 100 avant J. C.), la maturité de la période classique (100 ans avant J. C. — 950) et l'époque d'agitation et de lutte de la période Militariste qui se termine par la conquête espagnole (950-1521).

Teotihuacán, dans la Vallée de México, est l'endroit où prend place pour la première fois la révolution urbaine, c'est-à-dire le passage des petits villages de la période archaïque aux grands centres "cérémoniaux" de la période classique. Son caractère architectonique singulier a été respecté avec tenacité artistique tout au long de sa croissance: c'est la ville sacrée aux gigantesques monuments, la ville du silence, marquée par l'austérité avec laquelle l'architecte s'est exprimé au moyen de la rigidité et de la sécheresse de la ligne droite, combinées avec l'organisation de l'espace externe grace aux différents volumes architectoniques. Son édifice le plus important, et peut-être le plus ancien, la Pyramide du Soleil, a un volume de 1.250.000 m³ et couvre une superficie de 52.000 m².

A l'encontre du caractère exclusivament architectonique et urbanistique de Teotihuacán, la ville de Tula marque le triomphe du décoratif et du sculptural, de la soif de luxe et de richesse propre au peuple Toltèque. De la même façon que Xochicalco fixe le concept d'une ville par son ensemble de bâtiments et de temples, à laquelle on a donné la forme d'un vaste soubassement échelonné.

La région du sud-est du Mexique croît en lutte constante avec l'humide forêt tropicale. Elle et le Cambodge sont les seules contrées du monde où se soient développées de grandes cultures dans ce genre "d'habitat" géographique. La forêt renferme dans sa prison verte, dans la vaste région qui s'étend depuis le nord du Yucatán, passant par les Terres Hautes de Guatemala, jusqu'à la vallée du Rio Motagua, des centaines de villes ayant appartenu à l'antique culture maya.

Pour donner une idée de la force créatrice des anciens Mayas, il suffit de citer comme exemple l'activité constructive de la ville de Tikal, avec ses six énormes temples, dont le plus grand atteint une hauteur de 74 mètres, formant ainsi une masse pyramidale compacte d'une hauteur supérieure à celle des tours de la cathédrale de Notre Dame de Paris.

En face de ces données qui font foi de la vigueur constructive de la culture maya, on doit aussi signaler le sentiment exquis que ce peuple avait de la forme, et qui nous est révélé par les proportions de la forme architectonique, les détails de la décoration, les reliefs sculpturaux et les peintures murales. La meilleure illustration de ce sentiment de la forme nous est donnée par les grandes villes du nord de Yucatán. Parmi tant d'autres on peut citer Chichén-Itzá, Uxmal, Kabáh, Tulúm, etc.

Das heutige Zentrum der Mexikanischen Republik und die angrenzenden Gebiete Mittelamerikas waren der Sitz der am hoechsten entwickelten Kulturen des alten Amerikas.

Man kann geographisch zwei grosse Gebiete unterscheiden, innerhalb deren natuerlichen Grenzen die hohen Kulturen Mexikos sich entfalteten und lebten: die trockene und steppenaehnliche Hochebene und die feuchten Waelder und der ueppige Planzenwuchs des mexikanischen Suedostens.

Chronologisch entfalten sich beide in drei Kulturzyklen, das Erwachen der archaischen Periode (2000 v. Chr-100 v. Chr.), die Reife der klassischen Periode (100 v. Chr-950 n. Chr.) und die bewegte und kampfreiche Epoche der militaristischen Periode, die mit der spanischen Eroberung abschliesst (950-1521).

In Teotihuacán, im Tal von Mexico, vollzog sich zum ersten Mal eine staedtische Umwaelzung und zwar von den kleinen Ansiedlungen der archaischen Periode zu den grossen "Zeremonienzentren" der klassischen Periode. Der eigenwillige architektonische Character Teotihuacáns behauptet sich mit starker kuenstlerischer Zaehigkeit waehrend der ganzen Zeit seines Wachstums; Teotihuacán ist die heilige Stadt mit ihren kolossalen Baudenkmaelern, die Stadt des Schweigens, deren Strenge der Architekt mittels der nuechternen geraden Linie in Verbindung mit der Einteilung des aeusseren Raumes durch Bauten, zum Ausdruck brachte. Das wichtigste und sicher auch das aelteste Bauwerk ist die Sonnenpyramide mit einem Volumen von 1.250.000 m³ und einer Grundflaeche von 52.000 m².

Im Gegensatz zu dem rein architektonischen und staedtischen Charakter von Teotihuacán, triumphiert in der Stadt Tula das Dekorative und die Bildhauerei, der Drang nach Luxus und Reichtum, der dem toltekischen Volk eigen ist, waehrend Xochicalco das Bild einer Stadt, einer Einheit von Gebaeuden und Tempeln abgibt und die Form eines grossartigen abgestuften Sockels aufweist.

Der Suedosten Mexikos waechst in unaufhoerlichem Kampf mit dem feuchten tropischen Wald. Dies Gebiet und Cambodia sind die einzigen grossen Kulturen dieser Art geographischen "Habitat's". Der Wald schliesst in seinem gruenen Gefaengnis, dem ausgedehnten Gebiet vom Norden Yucatans bis zum Hochland von Guatemala und dem Tal des Rio Motagua Hunderte von Staedten der alten Mayakultur ein.

Um die schoepferische Kraft der alten Mayas ein wenig zu erlaeutern, genuegt es als Beispiel das Bauschaffen der Stadt Tikal mit ihren sechs riesigen Tempeln anzufuehren. Der groesste dieser Tempel erreicht eine Hoehe von 74 m und damit uebertrifft dieser kompakte Pyramidenbau die Hoehe der Tuerme der Kathedrale Notre Dame von Paris.

Gebenueber diesen Angaben, die uns die Gewalt des Bauens der Mayakultur veranschaulichen, muss hier das ausgezeichnete Formengefuehl dieses Volkes, das sich in den Proportionen der architektonischen Grundformen, den ausschmueckenden Details, den in steingehauenen Reliefs und den Wandmalereien kundtut, besonders hervorgehoben werden. Die besten Beispiele dieses Formensinns finden wir in den grossen Hauptpunkten im Norden Yucatans, Chichen-Itza, Uxmal, Kabáh, Tulúm, um nur die wichtigsten aufzuzaehlen.

4   TEMPLO DE QUETZALCOATL AL FONDO PIRÁMIDES DEL SOL Y DE LA LUNA.
Teotihuacán. Valle de México.
Cultura teotihuacana.

4   TEMPLE OF QUETZALCOATL, IN BACKGROUND THE PYRAMIDS OF SUN AND MOON.
Teotihuacan, Valley of México.
Teotihuacan civilization.

4   TEMPLE DE QUETZALCOATL, AU FOND LES PYRAMIDES DU SOLEIL ET DE LA LUNE.
Teotihuacan, Vallée de Mexico.
Culture de Teotihuacan.

4   TEMPEL DES QUETZALCOATL IM HINTERGRUND SONNEN UND MONDPYRAMIDE.
Teotihuacan, Tal von Mexiko.
Kultur von Teotihuacan.

5   TEMPLO DE QUETZALCOATL
    DETALLE.
    Teotihuacán, Valle de
    México.
    Cultura teotihuacana.

5   TEMPLE OF QUETZALCOATL.
    DETAIL.
    Teotihuacan, Valley of
    México.
    Teotihuacan civilization.

5   DETAIL DU TEMPLE DE
    QUETZALCOATL.
    Teotihuacan, Vallée de
    Mexico.
    Culture de Teotihuacan.

5   TEILANSICHT DES TEMPELS
    DES QUETALCOATL.
    Teotihuacan, Tal von Mexiko.
    Kultur von Teotihuacan.

6   TEMPLO DE XOCHICALCO,
    LA SERPIENTE EMPLUMADA.
    Xochicalco, Edo. de Morelos.
    Cultura tolteca.

6   TEMPLE OF XOCHICALCO,
    "THE FEATHERED SERPENT".
    Xochicalco, State of Morelos.
    Toltec civilization.

6   TEMPLE DE XOCHICALCO,
    "LE SERPENT À PLUMES".
    Xochicalco, Etat de Morelos.
    Culture Toltèque.

6   XOCHICALCO, TEMPEL VON
    "GEFIEDERTE SCHLANGE".
    Xochicalco, Morelos.
    Toltekische Kultur.

7   **TEMPLO DE
TLAHUIZCALPANTECUTLI.**
Tula, Edo.
de Hidalgo.
Cultura tolteca.

7   **TEMPLE OF TLAHUIZCAL-
PANTECUTLI (LORD OF THE
HOUSE OF DAWN).**
Tula, State of Hidalgo.
Toltec civilization.

7   **TEMPLE DE
TLAHUIZCALPANTECUTLI.**
Tula, Hidalgo.
Culture Toltèque.

7   **TEMPEL DES
TLAHUIZCALPANTECUTLI.**
Tula, Hidalgo.
Toltekische Kultur.

9   **PIRÁMIDE DEL TAJÍN.**
Papantla, Edo. de Veracruz.
Cultura totonaca.

9   **PYRAMID OF EL TAJIN.**
Papantla, State of Veracruz.
Totonac civilization.

9   **PYRAMIDE DU TAJIN.**
Papantla, Et. de Vera-Cruz.
Culture Totonaque.

9   **PYRAMIDE DES TAJIN.**
Papantla, Veracruz.
Totonakische Kultur.

8   TEMPLO DE TLAHUIZCAL-
PANTECUTLI, DETALLE.
Tula, Edo. de Hidalgo.
Cultura tolteca.

8   DETAIL FROM THE TEMPLE
OF   TLAHUIZCALPANTECU-
TLI.
Tula, State of Hidalgo.
Toltec civilization.

8   DETAIL DU TEMPLE DE
TLAHUIZCALPANTECUTLI.
Tula, Hidalgo.
Culture Toltèque.

8   TEILANSICHT DES TEMPLES
DES TLAHUIZCALPANTECU-
TLI.
Tula, Hidalgo.
Toltekische Kultur.

10 PIRÁMIDE DEL TAJÍN.
Papantla, Edo. de Veracruz.
Cultura totonaca.

10 PYRAMID OF EL TAJIN.
Papantla, State of Veracruz.
Totonac civilization.

10 PYRAMIDE DU TAJIN.
Papantla, Et. de Vera-Cruz.
Culture Totonaque.

10 PYRAMIDES DES TAJIN.
Papantla, Veracruz.
Totonakische Kultur.

11 PIRAMIDE DEL TAJIN
CHICO.
Papantla, Edo. de Veracruz.
Cultura totonaca.

11 PYRAMID OF LITTLE TAJIN.
Papantla, State of Veracruz.
Totonac civilization.

11 PYRAMIDE DU TAJIN CHICO
(PETIT TAJIN).
Papantla, Et. de Vera-Cruz.
Culture Totonaque.

11 PYRAMIDE DES KLEINEN
TAJIN.
Papantla, Veracruz.
Totonakische Kultur.

12 VISTA PANORÁMICA DE
MONTE ALBÁN.
Monte Albán, Edo. de
Oaxaca.
Cultura zapoteca.

12 VUE PANORAMIQUE DE
MONTE ALBÁN
Monte Albán, Et. de Oaxaca.
Culture Zapotèque.

12 PANORAMIC VIEW OF
MONTE ALBÁN
Monte Albán, State of
Oaxaca.
Zapotec civilization.

12 GESAMTANSICHT
VON MONTE
ALBÁN
Monte Albán, Oaxaca.
Zapotekische Kultur.

13   FACHADA PRINCIPAL DEL
PALACIO DE LAS
COLUMNAS.
Mitla, Edo. de Oaxaca.
Cultura mixteca.

13   PRINCIPAL FAÇADE,
PALACE OF
COLUMNS.
Mitla, State of Oaxaca.
Mixtec civilization.

13   FAÇADE PRINCIPALE DU
PALAIS DES COLONNES.
Mitla, Et. de Oaxaca.
Culture Mixtèque.

13   HAUPTFASSADE DES
SAEULENPALASTES.
Mitla, Oaxaca.
Mixtekische Kultur.

14   PALACIO DE LAS
COLUMNAS, DETALLE.
Mitla, Edo. de Oaxaca.
Cultura mixteca.

14   DETAIL OF PALACE OF
COLUMNS.
Mitla, State of Oaxaca.
Mixtec civilization.

14   DETAIL DU PALAIS DES
COLONNES.
Mitla, Et. de Oaxaca.
Culture Mixtèque.

14   TEILANSICHT DES
SAEULENPALASTES.
Mitla, Oaxaca.
Mixtekische Kultur.

15   PIRÁMIDE DE TENAYUCA.
Tenayuca, Edo. de México.
Cultura chichimeca.

15   PYRAMID OF TENAYUCA.
Tenayuca, State of México.
Chichimec civilization.

15   PYRAMIDE DE TENAYUCA.
Tenayuca, Et. de Mexico.
Culture Chichimèque.

15   PYRAMIDE VON TENAYUCA.
Tenayuca, im Staat von
Mexiko.
Chichimeken-Kultur.

16 MURALLA DE SERPIENTES,
"COATEPANTLI".
Pirámide de Tenayuca.
Tenayuca, Edo. de México.
Cultura chichimeca.

16 SERPENT BALUSTRADE,
"COATEPANTLI".
Pyramid of Tenayuca.
Tenayuca, State of Mexico.
Chichimec civilization.

16 MURAILLE DE SERPENTS,
"COATEPANTLI".
Pyramide de Tenayuca.
Tenayuca, Et. de Mexico.
Cultura Chichimèque.

16 SCHLANGENMAUER,
"COATEPANTLI".
Pyramide von Tenayuca.
Tenayuca, im Staat von
Mexiko.
Chichimeken-Kultur.

17 LA GRAN TENOCHTITLÁN.
Pintura Mural de Diego Rivera
en el Palacio Nacional.
México, D. F.

17 GREAT TENOCHTITLÁN.
Muray by Diego Rivera in
National Palace.
México, D. F.

17 LA GRANDE
TENOCHTITLÁN.
Fresque de Diego Rivera
au Palais National.
México, D. F.

17 DAS GROSSE
TENOCHTITLÁN.
Wandgemaelde von Diego
Rivera im Palacio
Nacional.
México, D. F.

18 COATLICUE, LA DE LA FAL-
DA DE SERPIENTES.
LA TIERRA.
Procede de la plaza mayor
de la ciudad de México,
actualmente en el Museo
Nacional de México.
Cultura náhua (Azteca).

18 COATLICUE, LADY OF
SERPENT SKIRT, GODDESS
OF THE EARTH.
Found in Main Plaza of
Mexico City, now in
Mexico's National Museum.
Nahua civilization
(Aztec)

18 COATLICUE, A LA JUPE DE
SERPENTS DÉESSE DE LA
TERRE.
Provient de la Grand'Place
(Plaza Mayor) de México.
Actuellement au
Musée National de México.
Culture Nahua. (Aztèque).

18 COATLICUE, DIE MIT DEM
SCHLANGENROCK,
GOETTIN
DER ERDE.
Fundort: Plaza Mayor der
Stadt Mexiko.
Nahua Kultur
(Azteken).

19 CALENDARIO AZTECA O PIEDRA DEL SOL.
Descubierto en la plaza mayor de la ciudad de México, actualmente en el Museo Nacional de México. Cultura náhua (Azteca).

19 AZTEC CALENDAR OR STONE OF THE SUN.
Found in the Main Plaza of Mexico City, now in Mexico's National Museum.
Nahua (Aztec) civilization.

19 CALENDRIER AZTÈQUE OU PIERRE DU SOLEIL.
Découvert en la Grand'Place de Mexico.
Actuellement au Musée National de Mexico.
Culture Nahua (Aztèque).

19 AZTEKENKALENDER ODER SONNENSTEIN.
Fundort: Plaza Mayor der Stadt Mexiko.
Gegenwaertig im Nationalmuseum von Mexiko.
Nahua (Azteken) Kultur.

| 20 | **TEMPLO 3.**
Tikal, Guatemala.
Cultura maya del Antiguo
Imperio. | 20 | **TEMPLE 3.**
Tikal, Guatemala.
Maya civilization of the Old
Empire period. | 20 | **TEMPLE 3.**
Tikal, Guatemala.
Culture Maya de l'Ancien
Empire. | 20 | **TEMPEL 3.**
Tikal, Guatemala.
Maya-Kultur,
Altes Reich. |

21   TEMPLO 1.
     Tikal, Guatemala.
     Cultura maya del Antiguo
     Imperio.

21   TEMPLE 1.
     Tikal, Guatemala.
     Maya civilization of Old
     Empire period.

21   TEMPLE 1.
     Tikal, Guatemala.
     Culture Maya de l'Ancien
     Empire.

21   TEMPEL 1.
     Tikal, Guatemala.
     Maya-Kultur,
     Altes Reich.

22 **PLATAFORMA DE
CEREMONIAS.**
Copán, Honduras.
Cultura maya del Antiguo
Imperio.

22 **PLATFORM OF CEREMONIES.**
Copán, Honduras.
Maya civilization of Old
Empire period.

22 **PLATEFORME DE
CÉRÉMONIES.**
Copán, Honduras.
Culture Maya de l'Ancien
Empire.

22 **ZEREMONIENPLATZ.**
Copán, Honduras.
Maya-Kultur, Altes Reich.

23 **ESTELA DE COPÁN.**
Copán, Honduras.
Cultura maya del Antiguo
Imperio.

23 **STELA FROM COPAN.**
Copán, Honduras.
Maya civilization of Old
Empire period.

23 **STÈLE DE COPAN.**
Copán, Honduras.
Culture Maya de l'Ancien
Empire.

23 **STELE VON COPAN.**
Copán, Honduras·
Maya-Kultur, Altes Reich.

24 DETALLE DEL TEMPLO 22.
Copán, Honduras.
Cultura maya del Antiguo
Imperio.

24 DETAIL OF TEMPLE 22.
Copán, Honduras.
Maya civilization of Old
Empire period.

24 DÈTAIL DU TEMPLE 22.
Copán, Honduras.
Culture Maya de l'Ancien
Empire.

24 TEILANSICHT DES
TEMPELS.
Copán, Honduras.
Maya-Kultur, Altes Reich.

25 ESTELA EN COPAN.
Copán, Honduras.
Cultura maya del Antiguo
Imperio.

25 STELA FROM COPAN.
Copán, Honduras.
Maya civilization of Old
Empire period.

25 STÈLE DE COPAN.
Copán, Honduras.
Culture Maya de l'Ancien
Empire.

25 STELE VON COPAN.
Copán, Honduras.
Maya-Kultur, Altes Reich.

26 ESTELA EN QUIRIGUÁ.
Quiriguá, Guatemala.
Cultura maya del Antiguo
Imperio.

26 STELA IN QUIRIGUA.
Quiriguá, Guatemala.
Maya civilization of Old
Empire period.

26 STÈLE À QUIRIGUA.
Quiriguá, Guatemala.
Culture Maya de l'Ancien
Empire.

26 STELE IN QUIRIGUA.
Quiriguá, Guatemala.
Maya-Kultur, Altes Reich.

27 TEMPLO DEL SOL.
Palenque, Edo. de Chiapas.
Cultura maya del Antiguo
Imperio.

27 **TEMPLE OF THE SUN.**
Palenque, State of Chiapas.
Maya civilization of Old
Empire period.

27 **TEMPLE DU SOLEIL.**
Palenque, Et. de Chiapas.
Culture Maya de l'Ancien
Empire.

27 **SONNENTEMPEL.**
Palenque, Chiapas.
Maya-Kultur,
Altes Reich.

28 TEMPLO DE LAS
INSCRIPCIONES.
Palenque, Edo. de Chiapas.
Cultura maya del Ahtiguo
Imperio.

28 TEMPLE OF THE
INSCRIPTIONS.
Palenque, State of Chiapas.
Maya civilization of Old
Empire period.

28 TEMPLE DES INSCRIPTIONS.
Palenque, Et. de Chiapas.
Culture Maya de l'Ahcien
Empire.

28 TEMPEL DER INSCHRIFTEN.
Palenque, Chiapas.
Maya-Kultur,
Altes Reich.

29 PALACIO DEL
GOBERNADOR.
Uxmal, Edo. de Yucatán.
Cultura maya del Nuevo
Imperio.

29 **PALACE OF THE GOVERNOR.**
Uxmal, State of Yucatan.
Maya civilization of New
Empire period.

29 **PALAIS DU GOUVERNEUR.**
Uxmal, Et. de Yucatán.
Culture Maya du Nouvel
Empire.

29 **PALAST DES
STATTHALTERS.**
Uxmal, Yukatan.
Maya-Kultur, Neues Reich.

30 PALACIO DEL
    GOBERNADOR, DETALLE.
    Uxmal, Edo. de Yucatán.
    Cultura maya del Nuevo
    Imperio.

30 PALACE OF THE GOVER-
    NOR, DETAIL.
    Uxmal, State of Yucatan.
    Maya civilization of New
    Empire period.

30 PALAIS DU GOUVERNEUR,
    DETAIL.
    Uxmal, Et. de Yucatán.
    Culture Maya du Nouvel
    Empire.

30 PALAST DES
    STATTHALTERS,
    TEILANSICHT.
    Uxmal, Yukatan.
    Maya-Kultur, Neues Reich.

31 PALACIO DEL GOBERN
    DOR, DETALLE DE UNA
    ESQUINA.
    Uxmal, Edo. de Yucatán.
    Cultura maya del Nuevo
    Imperio.

31 PALACE OF THE GOVE
    NOR, DETAIL OF A CORNI
    Uxmal, State of Yucatan.
    Maya civilization of New
    Empire period.

31 PALAIS DU GOUVERNEU
    DETAIL D'UN ANGLE.
    Uxmal, Et. de Yucatán.
    Culture Maya du Nouvel
    Empire.

31 PALAST DES STATTHALTE
    TEILANSICHT EINER ECKE
    Uxmal, Yukatan.
    Maya-Kultur, Neues Reich.

32   TEMPLO DEL ADIVINO.
DETALLE DE LA ESCALINATA.
Uxmal, Edo. de Yucatán.
Cultura maya del Nuevo
Imperio.

32   HOUSE OF THE MAGICIAN,
DETAIL OF STAIRWAY.
Uxmal, State of Yucatan.
Maya civilization of New
Empire period.

32   PYRAMIDE DU DEVIN,
DETAIL DU PERRON.
Uxmal, Et. de Yucatan.
Culture Maya du Nouvel
Empire.

32   PYRAMIDE DES WAHRSA-
GERS, TEILANSICH DES
STUFENAUFGANGS.
Uxmal, Yukatan.
Maya-Kultur, Neues Reich.

33 CUADRÁNGULO DE LAS
MONJAS, ALA NORTE.
Uxmal, Edo. de Yucatán.
Cultura maya del Nuevo
Imperio.

33 NUNNERY QUADRANGLE,
NORTH WING.
Uxmal, State of Yucatan.
Maya civilization of New
Empire period.

33 CARRÉ DES NONNES,
EDIFICE NORD.
Uxmal, Et. de Yucatán.
Culture Maya du Nouvel
Empire.

33 "VIERECK DER NONNEN",
NOERDLICHER BAU.
Uxmal, Yukatan.
Maya-Kultur,
Neues Reich.

35 CUADRÁNGULO DE LAS
MONJAS, DETALLE DEL
ALA ORIENTE.
Uxmal, Edo. de Yucatán.
Cultura maya del Nuevo
Imperio.

35 NUNNERY QUADRANGLE,
DETAIL OF EAST WING.
Uxmal, State of Yucatan.
Maya civilization of New
Empire period.

35 CARRÉ DES NONNES, DETAIL
DE L'AILE ORIENTALE.
Uxmal, Et. de Yucatán.
Culture Maya du Nouvel
Empire.

35 "VIERECK DER NONNEN",
TEIL DES OSTFLUEGELS.
Uxmal, Yukatan.
Maya-Kultur, Neues Reich.

36 CUADRÁNGULO DE LAS
MONJAS, DETALLE DEL
ALA ORIENTE.
Uxmal, Edo. de Yucatán.
Cultura maya del Nuevo
Imperio.

36 CARRÉ DES NONNES, DETAIL
DE L'AILE ORIENTALE.
Uxmal, Et. de Yucatán.
Culture Maya du Nouvel
Empire.

36 NUNNERY QUADRANGLE
DETAIL OF EAST
WING.
Uxmal, State of Yucatan.
Maya civilization of New
Empire period.

36 "VIERECK DER NONNEN"
TEIL DES OSTFLUEGELS.
Uxmal, Yukatan.
Maya-Kultur,
Neues Reich.

38 TEMPLO DE KUKULCÁN.
"EL CASTILLO".
Chichén-Itzá, Edo. de
Yucatán.
Cultura maya del Nuevo
Imperio.

38 PYRAMID OF KUKULCAN
"THE CASTLE".
Chichén-Itzá, State of
Yucatán.
Maya civilization of New
Empire period.

38 PYRAMIDE DE KUKULCAN
"LE CHÂTEAU".
Chichén-Itzá, Et. de Yucatán.
Culture Maya du Nouvel
Empire.

38 PYRAMIDE VON KUKULCAN
"DAS SCHLOSS".
Chichén-Itzá, Yukatan.
Maya-Kultur,
Neues Reich.

39 TEMPLO DE KUKULCÁN.
    "EL CASTILLO".
    Chichén-Itzá, Edo. de
    Yucatán.
    Cultura maya del Nuevo
    Imperio.

39 PYRAMID OF KUKULCAN,
    "THE CASTLE".
    Chichén-Itzá, State of
    Yucatán.
    Maya civilization of New
    Empire period.

40 TEMPLO DE LOS
    GUERREROS.
    Esquina noroeste. Al fondo el
    Templo de Kukulcán.
    Chichén-Itzá, Edo. de
    Yucatán. Cultura maya
    del Nuevo Imperio.

40 NORTHWEST CORNER OF
    TEMPLE OF THE WARRIORS,
    IN BACKGROUND PYRAMID
    OF KUKULCAN.
    Chichén-Itzá, State of
    Yucatán. Maya civilization
    of New Empire period.

39 PYRAMIDE DE KUKULCAN
    "LE CHÂTEAU".
    Chichén-Itzá, Et. de Yucatán.
    Culture Maya du Nouvel
    Empire.

39 PYRAMIDE VON KUKULCAN
    "DAS SCHLOSS".
    Chichén-Itzá, Yucatán.
    Maya-Kultur,
    Neues Reich.

40 ANGLE NORD-OUEST DU
    TEMPLE DES GUERRIERS, AU
    FOND LA PYRAMIDE DE
    KUKULCAN.
    Chichén-Itzá, Et. de Yucatán.
    Culture Maya du Nouvel
    Empire.

40 NORDOSTECKE DES
    TEMPLES DER KRIEGER,
    IM HINTERGRUND DIE
    PYRAMIDE VON
    KUKULCAN.
    Chichén-Itzá, Yukatan.
    Maya-Kultur, Neues Reich.

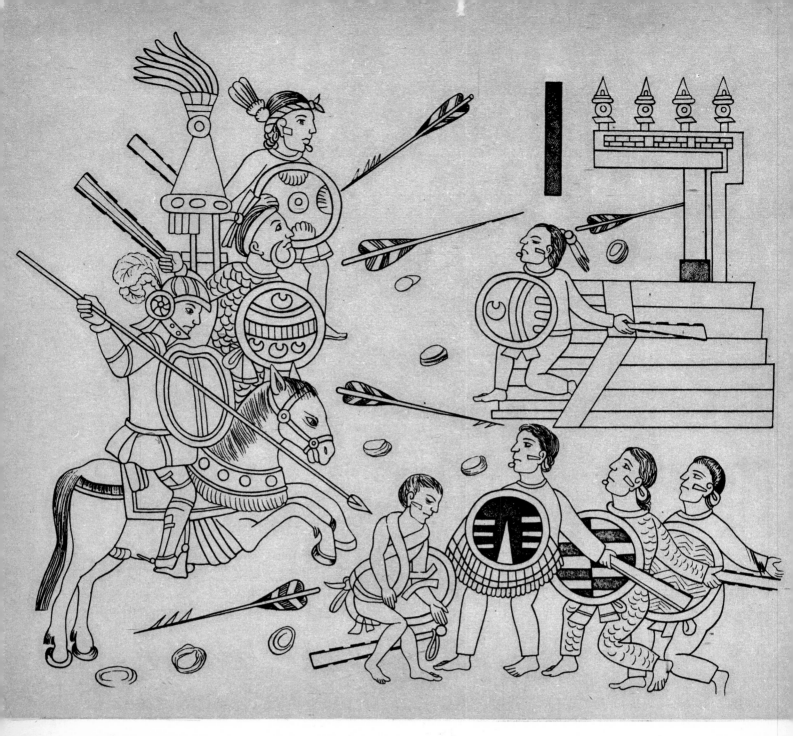

49 LIENZO DE TLAXCALA, FRACCION.
Siglo XVI.

49 CANVAS FROM TLAXCALA, FRACTION.
XVI century.

49 TOILE DE TLAXCALA, PARTIE.
XVI ème siècle.

49 GEMAELDE VON TLAXCALA, BRUCHSTUECK.
16. Jahrhundert.

CON LA CONQUISTA SURGE UNA NUEVA NACIONALIDAD

WITH THE CONQUEST A NEW NATIONALITY IS BORN

AVEC LA CONQUÊTE SURGIT UNE NOUVELLE NATIONALITÉ

MIT DER EROBERUNG ENTSTEHT EINE NEUE NATIONALITAET

CON LA CONQUISTA SURGE UNA NUEVA NACIONALIDAD

El siglo XVI marca en la creación de la nacionalidad mexicana el momento más trascendental, penetrada dramáticamente por el dolor y las lágrimas, en medio de los cuales se lleva a cabo la síntesis de razas, ideas y de formas de vida, base de la nueva nación que surge a la vida. En ella se aúnan por un lado el espíritu dominador y guerrero del Azteca y la tradición cultural y artesana del Tolteca, con el espíritu español de fuerte cristianismo, que paradójicamente ha englobado la manera de ser del musulmán, cuyo contacto guerrero acaba de terminar.

El arquetipo que resume en sí mismo el sentido de esa época, es una obra arquitectónica: *"el convento"*, centro de la más elevada cultura, avanzada de la evangelización y fortaleza entre los pueblos aún no suficientemente aquietados por la conquista. En sus formas aparecen entremezclados estilos tan disímbolos como el románico, el gótico y el renacimiento, pero cernidos, matizados y amalgamados por el espíritu indígena que los ejecuta.

El "convento" hereda el sentido del espacio abierto, organizado y configurado por la masa constructiva, propio de las arquitecturas aborígenes, plasmándolo en las llamadas "capillas abiertas". En él se conjugan sin delimitación posible lo religioso y lo social. El "convento" es casa de oración y recogimiento y de la misma manera centro de las actividades cívicas y sociales.

WITH THE CONQUEST A NEW NATIONALITY IS BORN

In the creation of Mexican nationhood the outstanding period is the sixteenth century, in which, to the dramatic accompaniment of grief and tears, the foundations of a new nation were being laid down by means of a synthesis of races, ideas and modes of life. Thus was brought about the fusion of, on the one side the Aztecs' masterful and warlike spirit and the Toltecs' tradition of culture and craftmanship, and on the other side the passionate devotion to Christianity of the Spaniards, who, paradoxically, having just emerged from their warlike contacts with the Mussulmans, had absorbed their way of life.

The archetype that epitomizes the feeling of this period is a work of architecture: the *convent,* the centre of the highest culture, the outpost of evangelization and at the same time a fortress among those tribes not yet sufficiently subdued by force of arms. In their design we find a mixture of styles so diverse as the Romanic, the Gothic and the Renascence, yet distilled, moulded and brought into harmony by the spirit of the natives who built them.

From the native architecture the convents inherited the feeling for open space, grouped and controlled by the architectural masses; hence the so-called "open chapels." In the convent we find both religious and social activities freely mixed without any clear dividing line. It is the house of prayer, and yet no less the centre of teaching, of healing and of all civic and social activities.

Le XVIème siècle marque, avec la création de la nationalité mexicaine, le moment le plus transcendental, dramatiquement marqué par la douleur et les larmes au milieu desquelles s'opère la synthèse des races, des idées et des formes de vie, base de la nouvelle nation qui surgit à la vie. Celle-ci réunit d'un côté l'esprit dominateur et guerrier de l'Aztèque et la tradition culturelle et artisane du Toltèque en même temps que la mentalité fortement chrétienne de l'Espagnol qui, d'une façon paradoxale, s'est imprégnée de la façon d'être du Musulman avec lequel il a été en contact de par la guerre jusqu'il y a peu de temps.

L'archétype qui représente le plus fidèlement cette époque est une oeuvre architectonique: *"le couvent"*, centre de la culture la plus élevée apportée par l'évangélisation et constituant en même temps une sorte de forteresse au milieu de ces peuples encore incompletement pacifiées par la conquête. Parmi ses différentes manifestations on trouve entremêlés des styles aussi différents que le Roman, le Gothique et le Renaissance, mais tamisés, nuancés et amalgamés par l'esprit indigène qui les exécute.

Le couvent a hérité le sens de l'espace ouvert que la masse constructive organise et configure, propre à toutes les architectures aborigènes et représenté notamment par les "chapelles ouvertes". Le religieux et le social s'y compénètre intimément. Le "couvent" est non seulement une maison de prière mais aussi le centre de toutes les activités civiques et sociales.

•

Das 16. Jahrhundert gilt mit der Schaffung der mexikanischen Nationalitaet als der bedeutungsvollste Zeitabschnitt; er ist dramatisch gezeichnet durch Schmerzen und Traenen, unter welchen sich die Zusammenschmelzung der Rassen vollzog, Ideen und Lebensformen sich bildeten und so gemeinsam die Basis fuer die neuerstehende Nation ergaben. In ihr vereinigen sich der Herrscher-und Kriegsgeist der Azteken und die kulturelle und handwerkliche Tradition der Tolteken auf der einen Seite mit dem vom Christentum durchdrungenen Geist der Spanier, der paradoxerweise die mohamedanische Lebensart auf Grund der erst kurz zuvor beendeten kriegerischen Beruehrungen assimiliert hatte, auf der anderen Seite.

Das Urbild, das am getreuesten den Geist dieser Epoche wiedergibt, ist ein Bauwerk: *"das Kloster"*, das Zentrum der hoechstentwickelten Kultur, Schutzwerk der Christentum und Befestigung inmitten der Volksstaemme, die durch die Eroberung noch nicht genuegend befriedigt worden waren. In diesem Bauwerk findet man nebeneinander, die verschiedenartigsten Stile, wie romanischen, gotischen und Renaissancestil jedoch ausgewaehlt, nanciert und vermischt mit dem Geist der Ureinwohner, dies dieses Werk ausgefuehrt haben.

Das Kloster uebermittelt den Sinn fuer offenen Raum, der durch Bauwerk eingeteilt und gestaltet ist und besonders in den sogenannten "offenen Kapellen" in Erscheinung tritt; eine Bauart die der einheimischen Architektur eigen ist. In ihm verbinden sich, ohne jede Grenze, das Religioese mit dem Sozialen. Das Kloster ist das Haus der Gebete und der Zurueckgezogenheit, aber gleichzeitig auch das Zentrum staatsbuergerlichen und sozialen Betaetigung.

50 CONVENTO DE SAN
AGUSTÍN ACOLMAN.
Acolman,
Edo. de México.
Estilo plateresco,
siglo XVI.

50 CONVENT OF
SAINT AUGUSTIN
ACOLMAN.
Acolman, State of Mexico.
Plateresque style,
XVI century.

50 COUVENT DE SAINT
AUGUSTIN ACOLMAN.
Acolman,
Et. de Mexico.
Style Plateresque,
XVIème siècle.

50 KLOSTER SAN AUGUSTIN
ACOLMAN.
Acolman, im Staat von
Mexiko.
Spanischer Fruehreneissance-
stil, 16. Jahrhundert.

| 51 | CONVENTO DE SAN AGUSTÍN, DETALLE DE LA PORTADA. Acolman, Edo. de México. Estilo plateresco, siglo XVI. | 51 | CONVENT OF SAINT AUGUSTIN ACOLMAN, DETAIL OF DOORWAY. Acolman, State of Mexico. Plateresque style, XVI century. | 51 | COUVENT DE SAINT AUGUSTIN ACOLMAN, DETAIL DU PORTAIL. Acolman, Et. de Mexico. Style Plateresque, XVIème siècle. | 51 | KLOSTER SAN AUGUSTIN ACOLMAN, AUSSCHNITT VOM PORTAL. Acolman, im Staat von Mexiko. Spanischer Fruehrenaissancestil, 16. Jahrhundert. |

54   CONVENTO DE YURIRIA,
      DETALLE DE LA PORTADA.
      Yuririapúndaro, Edo. de
      Guanajuato.
      Estilo plateresco,
      siglo XVI.

54   CONVENT OF YURIRIA,
      DETAIL OF DOORWAY.
      Yuririapundaro, State of
      Guanajuato.
      Plateresque style,
      XVI century.

54   COUVENT DE YURIRIA,
      DETAIL DU PORTAIL.
      Yuririapundaro, Et. de
      Guanajuato.
      Style Plateresque,
      XVIème siècle.

54   KLOSTER YURIRIA,
      AUSSCHNITT
      VOM PORTAL.
      Yuririapundaro, Guanajuato.
      Spanischer Fruehrenaissance-
      stil, 16. Jahrhundert.

55 FUENTE MONUMENTAL EN CHIAPA DE CORZO.
Chiapa de Corzo, Edo. de Chiapas.
Estilo Mudejar, siglo XVI.

55 MONUMENTAL FOUNTAIN AT CHIAPA DE CORZO.
Chiapa de Corzo, State of Chiapas.
Moorish style, XVI century.

55 FONTAINE MONUMENTALE À CHIAPA DE CORZO.
Chiapa de Corzo, Et. de Chiapas. Style Moresque.
XVIème siècle.

55 MONUMENTALER BRUNNEN IN CHIAPA DE CORZO.
Chiapa de Corzo, Chiapas.
Maurischer Stil,
16. Jahrhundert.

56 FUENTE DE TOCHIMILCO.
Tochimilco, Edo. de Puebla.
Estilo Plateresco.
Siglo XVI.

56 FOUNTAIN AT TOCHIMILCO
Tochimilco, State of Puebla.
Plateresque style.
XVI century.

56 FONTAINE DE TOCHIMILCO.
Tochimilco, Et. de Puebla.
Style Plateresque.
XVIème siècle.

56 BRUNNEN VON
TOCHIMILCO.
Tochimilco, im Staate Puebla.
Spanischer Fruehrenaissance-
stil, 16. Jahrhundert.

57 CAPILLA POSA EN EL
CONVENTO DE SAN
FRANCISCO DE
HUEJOTZINGO.
Huejotzingo,
Edo. de Puebla.
Estilo Plateresco, siglo XVI.

57 CHAPELLE POUR STATION
AU COUVENT DE SAINT
FRANÇOIS DE HUEJOTZIN-
GO.
Huejotzingo, Et. de Puebla.
Style Plateresque,
XVIème siècle.

57 SMALL CHAPEL CALL
"POSA" AT CONVENT
SAINT FRANCIS AT
HUEJOTZINGO.
Huejotzingo, State of
Puebla.
Plateresque style, XVI cent

57 KLEINE KAPELLE "POS
GENANNT DES KLOSTER
SAN FRANCISCO VON
HUEJOTZINGO.
Huejotzingo, im Staate
Puebla.
16. Jahrhundert.

58 CAPILLA POSA EN EL ATRIO
DEL CONVENTO DE SAN
FRANCISCO DE
HUEJOTZINGO.
Huejotzingo, Edo. de Puebla.
Estilo Plateresco, siglo XVI.

58 SMALL CHAPEL CALLED
"POSA" IN THE YARD OF
THE CONVENT OF SAINT
FRANCIS AT HUEJOTZINGO.
Huejotzingo, State of
Puebla.
Plateresque style, XVI century.

58 CHAPELLE POUR STATION
DE SAINT FRANÇOIS DE
HUEJOTZINGO.
Huejotzingo, Et. de Puebla.
Style Plateresque,
XVIème siècle.

58 KLEINE KAPELLE "POSA"
GENANNT IM HOF DES
KLOSTERS SAN FRANCISCO
VON HUEJOTZINGO.
Huejotzingo, im Staate Puebla.
Spanischer Fruehrenaissance-
stil, 16. Jahrhundert.

59 PORTADA DE
LA GLORIA
DE ANGAHUA.
Angahua, Edo. de
Michoacán.
Estilo plateresco, siglo XVI.

59 PORTAIL DE GLOIRE DE
ANGAHUA.
Angahua, Et. de Michoacan.
Style Plateresque,
XVIème siècle.

59 DOORWAY OF GLORIA A
ANGAHUA.
Angahua, State of
Michoacan.
Plateresque style, XVI
century.

59 GLORIENPORTAL VON
ANGAHUA.
Angahua, Michoacan.
Spanischer Fruehrenaissance-
stil, 16. Jahrhundert.

60 ENTRADA AL ATRIO DEL CONVENTO DE SAN JUAN BAUTISTA. Coyoacán, D. F. Estilo plateresco, Siglo XVI.

60 ENTRANCE TO WALLED YARD OF THE CONVENT OF SAINT JOHN THE BAPTIST. Coyoacan, Mexico, D. F. Plateresque style, XVI century.

60 ENTREE DU PARVIS DU COUVENT DE SAINT JEAN-BAPTISTE. Coyoacan, Mexico, D. F. Style Plateresque, XVIème siècle.

60 EINGANG ZUM VORHOF DES KLOSTERS DES HL. JOHANNES DES TAEUFERS. Coyoacan, Mexico, D. F. Spanischer Fruehrenaissancestil, 16. Jahrhundert.

61 IGLESIA DE CUITZEO,
    DETALLE DE LA
    PORTADA.
    Cuitzeo, Edo. de Michoacán.
    Estilo plateresco,
    siglo XVI.

61 CHURCH OF CUITZEO,
    DETAIL OF DOORWAY.
    Cuitzeo, State of
    Michoacan.
    Plateresque style, XVI
    century.

61 EGLISE DE CUITZEO,
    DETAIL DU
    PORTAIL.
    Cuitzeo, Et. de Michoacan.
    Style Plateresque,
    XVIème siècle.

61 KIRCHE VON CUITZEO,
    AUSSCHNITT VOM
    PORTAL.
    Cuitzeo, Michoacan.
    Spanischer Fruehrenaissance-
    stil, 16. Jahrhundert.

62 FRESCO EN EL TEMPLO DE
SAN AGUSTÍN ACOLMAN.
Acolman, Edo. de México.
Estilo plateresco, siglo XVI.

62 FRESCO IN THE TEMPLE OF
SAINT AUGUSTIN ACOLMAN.
Acolman, State of México.
Plateresque style,
XVI century.

62 FRESQUE DANS LE TEMPLE
DE SAINT AUGUSTIN
ACOLMAN.
Acolman, Et. de Mexico.
Style Plateresque,
XVIème siècle.

62 FRESKE IN DER KIRCHE SAN
AUGUSTIN ACOLMAN.
Acolman, im Staat von
Mexiko
Spanischer Fruehrenaissance-
stil, 16. Jahrhundert.

63 FRESCO EN EL CONVENTO
DE HUEJOTZINGO.
Huejotzingo, Edo. de
Puebla.
Estilo plateresco,
Siglo XVI

63 FRESCO IN CONVENT OF
HUEJOTZINGO.
Huejotzingo, State of
Puebla.
Plateresque style, XVI
century.

63 FRESQUE AU COUVENT DE
HUEJOTZINGO.
Huejotzingo, Et.
de Puebla.
Style Plateresque,
XVIème siècle.

63 FRESKE IM KLOSTER VON
HUEJOTZINGO.
Huejotzingo, im Staat
Puebla.
Spanischer Fruehrenaissance-
stil, 16. Jahrhundert.

EL PERIODO COLONIAL

THE COLONIAL PERIOD

L'ÉPOQUE COLONIALE

DIE KOLONIALZEIT

VISTA DE LA PLAZA DE MEXICO, NUEVAMEN

CARLOS IV. que se colocó en ella el 9 de Dieiem

por Miguel la Grua Marques de Branciforte, Virrey

gratitud y consuelo general de todo este Reyno, e hizo

ADA PARA LA ... ESTATUA EQUESTRE DE NUESTRO AUGUSTO MONARCA REYNA

cumple años de ... la Reyna Nuestra Señora MARIA LUISA DE BORBON, su amada Es

spaña, quien ... solicitó y logro de la Real Clemencia erigir este Monumento para desahogo

Estampa, que ... dedica á Sus Magestades, en nuevo testimonio de su fidelidad, amor y resp

EL PERÍODO COLONIAL

La actividad cultural de la Colonia puede ejemplificarse más clara y dignamente que en ninguna otra manifestación en la Arquitectura. El siglo XVI, siglo de actividad febril para crear la nueva nacionalidad mexicana, ve poblarse su territorio con más de 300 conventos, con la creación de nuevas ciudades sobre los restos de los poblados indígenas, la apertura de la primera Universidad y el primer Hospital de América y con escuelas políglotas. Igualmente crea la primera imprenta y en un país que empieza a surgir a la vida, se imprimen más de 300 libros en el término de cincuenta años.

Sin embargo, la etapa arquitectónica más diferenciada, respecto al arte de la metrópoli, lo representa indudablemente la exuberancia del Barroco y Churrigueresco, que encuentran campo propicio en la tierra mexicana, conjugándose con la tendencia de la forma complicada propia del indígena y la riqueza y amplitud económica del siglo XVIII.

El Barroco mexicano levanta iglesias en ciudades y pueblos con una profusión sin límites. Durante 100 años consecutivos se levanta una iglesia a la semana en el territorio que forma parte actualmente la República Mexicana.

Sus obras, algunas de gran originalidad dentro del estilo, oscilan de lo popular e intuitivo, lleno de color e imperfecciones técnicas, a lo acabado y refinado como forma y como técnica. Las ciudades del centro de la República deben gran parte de su carácter actual a esa época.

THE COLONIAL PERIOD

The cultural activities of the Colonial Period are expressed in its architecture more clearly and more worthily than in any other of its manifestations. The sixteenth century, a century of feverish activity in the creation of the new Mexican nationality, witnessed the spreading over the territory of more than 300 convents, the construction of new cities on the ruins of the native towns, the opening of the first university to be established in America, and the building of hospitals and polyglot schools. At the same time the first American printing press was established, and, in a country that was on the threshold of its life, more than 300 books were printed in the course of half a century.

Nevertheless, the architectural phase which is most distinctive from that of the mother country is undoubtedly the exuberant Baroque and Churrigueresque, which found a fertile soil in Mexico, combining the Indian tendency towards complicated forms with the wealth and economic open-handedness of the Colonial 18th. century.

In cities, towns and even villages Mexican Baroque churches were erected in limitless profusion. For a hundred years on end, each week a new church was built in the territory of the present Republic of Mexico.

These works, some of them of great originality though adhering to the style, range from the popular and intuitive full of colour and technical imperfections, to the finished and refined as regards both technique and form. The cities and towns of the centre of the Republic owe their present character largely to this period.

L'ÉPOQUE COLONIALE

On ne peut trouver de représentation plus claire et plus caractéristique de l'époque coloniale que l'Architecture. C'est au XVIème siècle, siècle où l'on assiste à la création fébrile de la nouvelle nationalité mexicaine, que 300 couvents surgissent sur le territoire du Mexique, que de nouvelles villes s'érigent sur les restes de villages indigènes, qu'est fondée la première Université et le premier Hôpital d'Amérique, ainsi que des écoles polyglottes. La première imprimerie est aussi installée et dans un pays qui commence à peine à vivre, 300 livres sont imprimés pendant une période de 50 ans.

Néanmoins, l'étape architectonique qui se différencie le plus de l'art de la métropole se trouve sans aucun doute représentée par l'exubérance du Baroque et du "Churrigueresco" qui trouvent dans la terre mexicaine un terrain fertile et conjuguent la tendance à la forme compliquée propre à l'indigène avec la richesse et l'abondance économique du XVIIIème siècle colonial.

Le Baroque mexicain construit des églises dans les villes, les bourgades et les villages avec une profusion sans limites. Pendant 100 ans consécutifs on construisit une église par semaine dans le territoire de l'actuelle République Mexicaine.

Ses oeuvres, dont quelques unes pleines d'originalité dans son style, vont d'un art populaire et intuitif, plein de couleur et des imperfections techniques, à un art parachevé et rafiné dans sa forme et sa technique. Les villes du centre de la République doivent en partie son caractère actuel à cette époque.

DIE KOLONIALZEIT

Das kulturelle Leben waehrend der Kolonialzeit kann sich auf keinem anderen Gebiet so klar und wahrheitsgetreu widerspiegeln, wie in der Architektur. Im 16. Jahrhundert, dem Jahrhundert fieberhafter Bemuehungen die neue mexikanische Nation zu schaffen, entstanden auf mexikanischem Gebiet mehr als 300 Kloester, neue Staedte wurden auf den Ueberresten der Ansiedlungen der Ureinwohner erbaut, es fand die Eroeffnung der ersten Universitaet und des ersten Krankenhauses in Amerika statt und Fremdsprachenschulen wurden gegruendet. In einem Land, das gerade zum Leben erwacht war, wurden mehr als 300 Buecher in einem Zeitabschnitt von 50 Jahren gedruckt.

Was die Kunst in der Hauptstadt betrifft, so kann zweifellos die Ueberfuelle des Barrock und "Churrigueresco" als der am meisten sich abzeichnende Architekturabschnitt angesehen werden. Beide Stile finden in Mexiko geeignetes Feld in Verbindung mit der komplizierten Form, die dem Eingeborenen eigen ist und dem Reichtum und den grossen finanziellen Moeglichkeiten des 18. Jahrhunderts.

In Staedten, Doerfern und kleineren Ansiedlungen wurden Kirchen im Barrockstil mit grenzenloser Verschwendung erbaut. Waehrend 100 aufeinanderfolgender Jahre wurde woechentlich eine Kirche auf dem Gebiet der heutigen Mexikanischen Republik konstruiert.

Unter den Bauwerken in diesem Stil, von denen einige von grosser Originalitaet sind, findet man von volkstuemlich, intuitiv und farbenfroh gestalteten, die oft technisch unzulaenglich sind bis zu vollendeten und verfeinerten Schoepfungen, was Form und Technik anbelangt. Die im Zentrum der Republik liegenden Staedte verdanken ihren Charakter zum grossen Teil diesem Zeitabschnitt.

65 CATEDRAL DE LA CIUDAD DE MEXICO.
Sobre el costado norte de la Plaza Mayor, México, D. F. En el Siglo XVI, existió en este sitio la primera catedral de la Nueva España y probablemente de América.

65 CATHEDRAL OF MEXICO CITY.
On the northern side of the Main Plaza Mexico, D. F. During part of the 16th century the primitive cathedral stood on this site. It was the first in New Spain and probably in America.

65 CATHEDRALE DE MEXICO.
A l'extrémité Nord de la Grand-Place, Mexico, D. F. Au XVIème siècle, exista à cet endroit la première Cathédrale de la Nouvelle Espagne et probablement d'Amérique.

65 KATHEDRALE DER STADT MEXIKO.
An der Nordseite des grossen Platzes, Mexico, D. F. Hier an dieser Stelle entstand im 16. Jahrhundert die erste Kathedrale Neuspaniens und wahrscheinlich Amerikas.

CATEDRAL DE LA CIUDAD
DE MEXICO, DETALLE DE LA
FACHADA DEL SAGRARIO
METROPOLITANO.
Estilo churrigueresco,
siglo XVIII.
Arq. Lorenzo Rodríguez.

67   CATHEDRAL OF MEXICO
     CITY, DETAIL OF FAÇADE
     OF METROPOLITAN
     SACRARIUM.
     Churrigueresque style, XVII
     century.
     Architect Lorenzo Rodríguez.

68   En este edificio se instaló la
     primera imprenta de Amé-
     rica. (1539).
     México, D. F.

CATHEDRALE DE MEXICO,
DETAIL DE LA FAÇADE DU
METROPOLITAIN.
Style Churrigueresque,
XVIIIème siècle.
Arch. Lorenzo
Rodríguez.

67   KATHEDRALE DER STADT
     MEXIKO, TEILANSICHT DER
     HL. KAPELLE.
     Churrigueresco-Stil,
     18. Jahrhundert.
     Architekten: Lorenzo
     Rodríguez.

68   This building was the first
     printing house of
     America. (1539).
     Mexico, D. F.

68   Dans cet édifice fut installée
     la première imprimerie
     d'Amérique. (1539).
     Mexico, D. F.

68   Die erste Druckerei Amerikas
     wurde in diesem Gebaeude
     installiert. (1539).
     Stadt Mexiko.

69 Edificio que fue ocupado por
    el Tribunal de la Inquisición
    y en 1855 por la Escuela de
    Medicina, primera en Amé-
    rica.
    México, D. F.
    Estilo Barroco.—Siglo XVIII.

69 School of Medicine. The buil-
    ding was occupied by the
    Inquisition Tribunal and in
    1855 by the School of Medi-
    cine, first in America.
    Mexico, D. F.
    Baroque Style, XVIII century.

69 Edifice qui fut occupé par le
    Tribunal d'Inquisition et, en
    1855 par l'École de Médici-
    ne, la première en Amérique.
    Mexico, D. F.
    Style Baroque.
    XVIIIème siècle.

69 Gebaeude des Inquisitionsge-
    richtes. In 1855 bezog es die
    Medizinische Fakultaet, die
    erste Amerikas.
    Stadt Mexiko.
    Barock-stil.
    18. Jahrhundert.

70 REAL Y PONTIFICIA UNIVERSIDAD DE MEXICO
La primera en América, fundada en 1553. Este es el tercer edificio aue ocupó.
México, D. F.

70 THE ROYAL AND PONTIFICAL UNIVERSITY OF MEXICO. The first in America. Founded in 1553. This was the third building occupied by the University.
Mexico, D. F.

70 UNIVERSITÉ ROYALE ET PONTIFICALE DE MEXICO.
La première d'Amérique, qui fut fondée en 1553. C'est le troisième édifice qu'elle occupe.
Mexico, D. F.

70 KOENIGLICHE UND PAEPSTLICHE UNIVERSITAET MEXIKOS. 1553 gegruendet. Die erste in Amerika. Dies ist das dritte Gebaeude, das von ihr eingenommen wurde.
Stadt Mexiko.

71 **HOSPITAL DE JESUS**
El primer hospital del Continente Americano.
Fundado en 1535.
México, D. F.

71 **HOSPITAL OF JESUS**
The first hospital in America.
Founded in
1535.
Mexico, D. F.

71 **HÔPITAL DE JÉSUS**
Le premier hôpital du continent américain. Fondé en 1535.
Mexico, D. F.

71 **HOSPITAL DE JESUS**
Das erste Krankenhaus des amerikanischen Kontinents
1535 gegruendet.
Stadt Mexiko.

72 CONVENTO DE LA
MERCED.
México, D. F.
Estilo barroco, siglo XVII.

72 CONVENT OF THE MERCY,
Mexico, D. F.
Baroque style,
XVII century.

72 COUVENT DE LA MERCED,
(LA MERCI).
Mexico, D. F. Style Baroque,
XVIIème siècle.

72 KLOSTER DER BARMHERZIG-
KEIT.
Mexico, D. F.
Barockstil, 18. Jharhundert.

73   **IGLESIA DE LA SOLEDAD.**
Oaxaca, Edo. de Oaxaca.
Estilo barroco,
siglo XVII.

73   **CHURCH OF THE SOLITUDE.**
Oaxaca, State of Oaxaca.
Baroque style,
XVII century.

73   **EGLISE DE LA SOLITUDE.**
Oaxaca, Et. de Oaxaca.
Style Baroque,
XVIIème siècle.

73   **KIRCHE DER EINSAMKEIT**
Oaxaca, im Staat Oaxaca.
Barockstil,
18. Jahrhundert.

74 IGLESIA DE SANTO DOMIN-
GO, DETALLE DEL ÁRBOL
GENEALÓGICO EN EL
CORO.
Oaxaca, Edo. de Oaxaca.
Estilo barroco, siglo XVII.

74 CHURCH OF SAINT
DOMINIC, DETAIL OF
GENEALOGICAL TREE
IN THE CHOIR.
Oaxaca, State of Oaxaca.
Baroque style, XVII century.

74 EGLISE DE SAINT DOMINI-
QUE, DETAIL DE L'ARBRE
GENEALOGIQUE DANS LE
CHOEUR.
Oaxaca, Et. de Oaxaca. Style
Baroque, XVII ème siècle.

74 KIRCHE SANTO
DOMINGO TEIL DES
STAMMBAUMES
AM CHOR.
Oaxaca, im Staat Oaxaca.
Barockstil, 18. Jahrhundert.

75 CONVENTO DE CHURUBUS-
    CO, DETALLE DE LA CAPILLA
    DE SAN ANTONIO.
    México, D. F.
    Estilo barroco, siglo XVII.

75 COUVENT DE CHURUBUS-
    CO, DETAIL DE LA CHAPE-
    LLE DE SAINT ANTOINE.
    Mexico, D. F.
    Style Baroque,
    XVIIème siècle.

75 CONVENT OF CHURUBUSCO
    DETAIL OF SAINT ANTHO-
    NY'S CHAPEL.
    Mexico, D. F.
    Baroque style, XVII century.

75 KLOSTER CHURUBUSCO,
    TEILANSICHT DER
    KAPELLE SAN
    ANTONIO.
    Mexico, D. F.
    Barockstil, 16. Jahrhundert.

76 CONVENTO DE SAN AGUS-
TIN, VISTA DEL PATIO.
Querétaro, Edo. de
Querétaro.
Estilo barroco,
siglo XVIII.

76 CONVENT OF SAINT AU-
GUSTIN, VIEW OF YARD.
Queretaro, State of
Queretaro.
Baroque style,
XVII century.

76 COUVENT DE SAINT AUGUS-
TIN, VUE DE LA COUR.
Queretaro, Et. de
Queretaro.
Style Baroque,
XVIIIème siècle.

76 KLOSTER SAN AUGUSTIN,
ANSICHT DES
INNENHOFES.
Queretaro, in Staat
Queretaro.
Barockstil, 18. Jahrhundert.

77 IGLESIA DE
LA SANTA
VERACRUZ.
México, D. F.
Estilo barroco,
siglo XVIII.

77 CHURCH OF THE HOLY
CROSS (SANTA
VERACRUZ).
Mexico, D. F.
Baroque style,
XVIII century.

77 EGLISE DE LA SANTA VERA-
CRUZ (DE LA SAINTE-
CROIX).
Mexico, D. F.
Style Baroque,
XVIIIème siècle.

77 KIRCHE DES HL.
KREUZES (SANTA
VERACRUZ).
Mexico, D. F.
Barokstil,
18. Jahrhundert.

78   IGLESIA DE SAN
    FRANCISCO ACATEPEC.
    Acatepec, Edo. de Puebla.
    Estilo barroco,
    siglo XVIII.

78   CHURCH OF SAINT FRAN-
    CIS ACATEPEC.
    Acatepec, State of Puebla.
    Baroque style,
    XVIII century.

78   EGLISE DE SAINT FRANÇOIS
    ACATEPEC.
    Acatepec, Et. de Puebla.
    Style Baroque,
    XVIIIème siècle.

78   KIRCHE SAN
    FRANCISCO
    ACATEPEC.
    Acatepec, im Staat Puebla.
    Barockstil, 18. Jahrhundert.

SANTUARIO DE OCOTLÁN.
Ocotlán, Edo. de Tlaxcala.
Estilo churrigueresco,
siglo XVIII.

SANCTUARY OF OCOTLAN.
Ocotlan, State of Tlaxcala.
Churrigueresque style,
XVIII century.

SANCTUAIRE D'OCOTLAN.
Ocotlan, Et. de Tlaxcala.
Style Churriguéresque,
XVIII ème siècle.

DAS HEILIGTUM VON
OCOTLAN.
Ocotlan, Tlaxcala.
Churrigueresco-Stil,
18. Jahrhundert.

80 SANTUARIO DE OCOTLÁN.
Ocotlán, Edo. de Ocotlán.
Estilo churrigueresco,
siglo XVIII.

80 SANCTUARY OF OCOTLAN.
Ocotlan, State of Tlaxcala.
Churrigueresque style,
XVIII century.

80 SANCTUAIRE
D'OCOTLAN.
Ocotlan, Et. de Tlaxcala.
Style Churriguéresque,
XVIII ème siècle.

80 DAS HEILIGTUM VON
OCOTLAN.
Ocotlan, Tlaxcala.
Churrigueresco-Stil,
18. Jahrhundert.

81 CASA DEL MARQUÉS DEL
    JARAL DE BERRIO.
    México, D. F.
    Estilo churrigueresco,
    siglo XVIII.

81 HOUSE OF THE MARQUIS
    DEL JARAL DE BERRIO.
    Mexico, D. F.
    Churrigueresque style,
    XVIII century.

81 MAISON DU MARQUIS DEL
    JARAL DE BERRIO.
    Mexico, D. F.
    Style Churriguéresque,
    XVIII ème siècle.

81 HAUS DES MARQUIS
    DEL JARAL DE BERRIO.
    Mexico, D. F.
    Churrigueresco-Stil,
    18. Jahrhundert.

82 CASA DE LOS CONDES
DE SANTIAGO
DE CALIMAYA.
México, D. F.
Estilo barroco, siglo XVIII.

82 HOUSE OF THE COUNTS DE
SANTIAGO DE CALIMAYA.
Mexico, D. F.
Baroque style,
XVIII century.

82 MAISON DES COMTES DE
SANTIAGO DE CALIMAYA.
Mexico, D. F.
Style Baroque,
XVIIIème siècle.

82 HAUS DER GRAFEN
DE SANTIAGO DE
CALIMAYA.
Mexico, D. F.
Barockstil, 18. Jahrhundert.

84 CAPILLA DE "EL POCITO".
México, D. F.
Estilo churrigueresco,
siglo XVIII.

84 THE CHAPEL OF "EL POCI-
CITO" (THE LITTLE WELL).
Mexico, D. F.
Churrigueresque style,
XVIII century.

84 CHAPELLE DE "EL POCITO"
(LE PETIT PUIT).
Mexico, D. F.
Style Churriguéresque,
XVIIIème siècle.

84 KAPELLE "EL POCITO" (DER
KLEINE BRUNNEN).
Mexico, D. F.
Churrigueresco-Stil,
18. Jahrhundert.

"CASA DE LOS AZULEJOS". 83 "HOUSE OF TILES".
México, D. F.   Mexico, D. F.
Estilo churrigueresco,   Churrigueresque style,
siglo XVIII.   XVIII century.

"MAISON AUX CARREAUX   83 "KACHELHAUS".
DE FAIENCE".   Mexico, D. F.
Mexico D. F.   Churrigueresco-Stil,
Style Churriguéresque,   18. Jahrhundert.
XVIIIème siècle.

LA LUCHA POR LA INDEPENDENCIA POLITICA
THE STRUGGLE FOR POLITICAL INDEPENDENCE
LA LUTTE POUR L'INDEPENDENCE POLITIQUE
DER KAMPF UM DIE UNABHAENGIGKEIT

LA LUCHA POR LA INDEPENDENCIA POLÍTICA

La época de la Colonia, en su desarrollo económico, político y cultural tiene una consecuencia lógica en la que desemboca su crecimiento orgánico, una mayoría de edad conquistada a través de 300 años de virreinato; esa consecuencia es la *Independencia*.

El movimiento libertario es llevado a cabo por minorías selectas del pensamiento mexicano, en las cuales alienta la vanguardia de las ideas de Europa y América, que comparten el movimiento de Ilustración y las nuevas tendencias del siglo XIX.

El nuevo estilo, el Neoclásico, es tomado como bandera por los Insurgentes, de tal manera que sus formas, severas y dignas, se expanden al calor de las nuevas corrientes del pensamiento al final del Virreinato y perduran en los primeros tiempos de la República Mexicana, estado libre y soberano, dueño para siempre de su propio destino.

El espíritu de renovación, sin embargo, no deja de respetar las reglas frías y académicas del nuevo estilo, brillando las personalidades fuertes de los arquitectos Tolsá y Tresguerras que ejecutan las obras más sobresalientes de este período.

THE STRUGGLE FOR POLITICAL INDEPENDENCE

As a logical consequence of its organic growth during the Colonial Period, with its economic, political and cultural development, Mexico attains its majority after 300 years of the viceroyalty; the result is *Independence*.

The campaign for freedom was carried on by select minorities of Mexican thinkers, animated by the advanced thought of Europe and America which inspired the Enlightenment and the new tendencies of the 19th. century.

The new art style, the Neo-Classical, was adopted as a symbol by the insurgents, so that its severe and dignified forms expanded under the warmth of the new thought-currents at the end of the viceroyalty, and persisted through the early years of the Mexican Republic, a free and sovereign state, master of its own destinies.

At the same time, the spirit of renewal did not fail to respect the cold, academic rules of the new style, although the strong personalities of the architects of the period shine out from among the general crowd of nameless colonial architects. Tolsá and Tresguerras were responsible for the most outstanding works of this period.

LA LUTTE POUR L'INDEPENDENCE POLITIQUE

La croissance organique de l'époque coloniale, avec son développement économique, politique et culturel, lui permit d'arriver à sa majorité, celle-ci ayant été finalement conquise après 300 ans de vice-royauté. Cette majorité eut une conséquence logique: *l'Indépendance.*

Le mouvement libertaire est mené par des minorités choisies de la pensée mexicaine oú l'on note l'influence de l'avant-garde des idées de l'Europe et de l'Amérique inspirées à la fois de "L'encyclopédisme" et des nouvelles tendances du XIXème siècle.

Les insurgés arborent le drapeau de l'art nouveau, le Néo-Classicisme, de telle façon que ses formes, dignes et sévères, se propagent à la faveur des nouveaux courants de pensée, à la fin de la Vice-Royauté, et persistent durant les premiers temps de la République Mexicaine, état libre et souverain, maître de ses propres destinées.

L'esprit de renouvellement qui règne alors respecte cependant les règles froides et académiques du nouveau style, bien que brillent les fortes personalités des architectes de l'époque coloniale. Tolsá et Tresguerras exécutent les oeuvres les plus marquantes de cette époque.

DER KAMPF UM DIE UNABHAENGIGKEIT

Die Kolonisationszeit hat in ihrer wirtschaftlichen, politischen und kulturellen Entwicklung auf Grund ihres organischen Wachstums und des langwaehrenden, sich ueber 300 Jahre erstreckenden Vizekoenigtums eine logische Folge: *die Unabhaengigkeit.*

Die Freiheitsbewegung wird von einer kleinen Schar Mexikanischer Denker durchgefuehrt, die von dem Geist der Vorlaeufer der europaeischen und amerikanischen Ideen durchdrungen sind. Jene Ideen sind von der Aufklaerungsbewegung und den Tendenzen des 19. Jahrhunderts erfuellt.

Der neue Stil des Neoklassizismus wurde von den Aufstaendischen uebernommen und zwar auf solche Weise, dass schon waehrend der letzten Zeit des Vizekoenigtums seine strengen und vornehmen Formen sich auf die lebhaften neuen Geistesstroemungen uebertrugen und hinueberdauerten in die Anfangszeit der Mexikanischen Republik, eines freien und souveraenen Staates, der fuer immer Herr ueber sein eigenes Schicksal sein sollte.

Der Geist der Neugestaltung jedoch erkennt die nuechternen und akademischen Regeln des neuen Stiles an, in welchem sich die zwei grossen Architkten Tolsá und Tresguerras, die hervorragendsten Werke dieser Zeit ausfuehrten, hervortaten.

86 REAL ACADEMIA DE SAN
CARLOS DE
NUEVA ESPAÑA.
La primera academia de artes
en América.
Siglos XVIII y XIX.

86 ROYAL ACADEMY OF SAINT
CHARLES OF
NEW SPAIN.
First academy of fine arts in
América.
XVIII and XIX centuries.

86 ACADEMIE ROYALE DE
SAINT CHARLES DE
NOUVELLE ESPAGNE.
La Première Académic
d'Arts en Amérique.
XVIII et XIX èmes siècles.

86 KOENIGLICHE AKADEMIE
VON SAN CARLOS VON
NEUSPANIEN.
Die erste Kunstakademie in
Amerika.
18, und 19. Jahrhundert.

87 "CAJA DE AGUA".
San Luis Potosí, Edo. de
S. L. P.
Arq. Eduardo Tresguerras.
Estilo neoclásico, siglo XIX.

87 "CAJA DE AGUA" (FOUN-
TAIN, TERMINAL POINT OF
OLD WATER SYSTEM).
San Luis Potosi, State of San
Luis Potosi.
Architec Eduardo Tresguerras.
Neoclassic style, XIX
century.

87 "CAJA DE AGUA", RESER-
VOIR-FONTAIN.
San Luis de Potosi, Et. de
San Luis de Potosi.
Eduardo Tresguerras, arch.
Style Néo-classique,
XIX ème siècle.

87 "CAJA DE AGUA"
(BRUNNEN).
San Luis de Potosi, im Staat
San Luis de Potosi.
Architekt: Eduardo Tresguerras.
Neuklassizistischer Stil, 19.
Jahrhundert.

88 COLEGIO DE MINERIA.
México, D. F.
Arq. Manuel Tolsá.
Estilo neoclásico,
siglo XIX.

88   SCHOOL OF MINING.
México, D. F.
Architect Manuel Tolsa.
Neoclassic style, XIX
century.

88   ECOLE DES MINES.
Mexico D. F.
Manuel Tolsa, arch.
Style Néo-classique,
XIX ème siècle.

88   BERGBAUSCHULE.
Mexico, D. F.
Architekt: Manuel Tolsa.
Neuklassizistischer Stil, 19.
Jahrhundert.

89 COLEGIO DE MINERIA, DE-
TALLE DE LOS CORREDORES
DEL PATIO.
México, D. F.
Arq. Manuel Tolsá.
Estilo neoclásico,
siglo XIX.

89 SCHOOL OF MINING, DE-
TAIL OF GALLARIES SUR-
ROUNDING THE YARD.
México, D. F.
Architect Manuel Tolsa.
Neoclassic style, XIX
century.

89 ECOLE DES MINES, DETAIL
DES CORRIDORS DE LA
COUR.
Mexico D. F.
Manuel Tolsa, arch.
Style Néo-classique,
XIX ème siècle.

89 BERGBAUSCHULE, TEILAN-
SICHT DER INNENHOF-
GAENGE.
Mexico, D. F.
Architekt: Manuel Tolsa.
Neuklassizistischer Stil, 19.
Jahrhundert.

90   IGLESIA DE LORETO.
México, D. F.
Arqs. Ignacio Castera y
Agustín Paz.
Estilo neoclásico, siglo XIX.

90   CHURCH OF LORETTO.
Mexico, D. F.
Architects Ignacio Castera y
Agustín Paz.
Neoclassic style, XIX century.

90   EGLISE DE LORETO.
Mexico D. F.
Ignacio Castera, Agustín
Paz, arch.
Style Néo-classique,
XIX ème siècle.

90   KIRCHE VON LORETO.
Mexico, D. F.
Architekten: Ignacio Castera
und Agustin Paz.
Neuklassizistischer Stil, 19.
Jahrhundert.

91   IGLESIA DEL CARMEN.
     Celaya, Edo. de
     Guanajuato.
     Arq. Eduardo Tresguerras.
     Estilo neoclasico,
     siglo XIX.

91   CHURCH OF EL CARMEN.
     Celaya, State of
     Guanajuato.
     Architect Eduardo Tresguerras.
     Neoclassic style, XIX
     century.

91   EGLISE DU CARMEL.
     Celaya, Et. de
     Guanajuato.
     Eduardo Tresguerras, arch.
     Style Néo-classique,
     XIX ème siècle.

91   CARMENKIRCHE.
     Celaya, im Staat von
     Guanajuato.
     Architekt: Eduardo Tresguerras.
     Neuklassizistischer Stil, 19.
     Jahrhundert.

92   'EL CITLALTEPETL''.
Oleo de José María
Velasco.
Siglo XIX.

92   "EL CITLALTEPETL".
Painting in oil by Jose Maria
Velasco, XIX
century.

92   "EL CITLALTEPETL''.
Huile de Jose Maria Velasco,
XIX ème siècle.

92   "EL CITLALTEPETL''.
Oelgemaelde von Jose Maria
Velasco, 19.
Jahrhundert.

EN LA PAZ DE UNA DICTADURA CONSTRUCTIVA
IN THE PEACE OF A CONSTRUCTIVE DICTATORSHIP
DANS LA PAIX D'UNE DICTATURE CONSTRUCTIVE
IM FRIEDEN EINER AUFBAUENDEN DIKTATUR

93   PALACIO DE BELLAS ARTES,
      DETALLE DE LA FACHADA.
      México, D. F.
      Arqs. Adamo Boari y
      Federico Mariscal.

93   PALACE OF FINE ARTS,
      DETAIL OF FAÇADE.
      Mexico, D. F.
      Architects Adamo Boari and
      Federico Mariscal.

93   PALAIS DES BEAUX-ARTS,
      DETAIL DE LA FAÇADE.
      Mexico, D. F.
      Adamo Boari, Federico Ma-
      riscal, arch.

93   PALAST DER SCHOENEN
      KUENSTE, TEILANSICHT DER
      FASSADE.
      México, D. F.
      Architekten: Adamo Boari
      und Federico Mariscal.

EN LA PAZ DE UNA DICTADURA CONSTRUCTIVA

Terminadas las turbulencias de la época formativa, inmediatamente posterior a la Independencia, el destino de la República Mexicana es regido por la recia personalidad del Presidente Porfirio Díaz. Su régimen de aquietamiento y estabilización, marca la estructuración administrativa del estado y el desarrollo de la economía del país, aun a costa del olvido de problemas sociales importantes.

Todas las actividades se saturan de "europeísmo" y la Arquitectura sigue paralelamente la moda y estilos, que con tanta inestabilidad se manifiestan en la misma Europa

El eclecticismo estilístico, puebla los edificios oficiales de las formas del Gótico, de copias del templo griego o de inspiraciones en la arquitectura prehispánica. El único estilo o pseudo estilo genuino de la época, el Art Nouveau, se "adapta" en una construcción tan importante, como el Palacio de Bellas Artes, enorme masa de mármol blanco, seguramente el edificio más acabado en su estilo en todo el mundo.

Un hecho significativo que refleja el carácter de la época es que el Palacio Legislativo, edificio representativo de la nación misma, se encarga a un arquitecto francés, el cual se traslada a México con un grupo de colaboradores. Se importa la arquitectura y se importan los arquitectos; sin embargo, se construye con sentido monumental y con calidad.

IN THE PEACE OF A CONSTRUCTIVE DICTATORSHIP

The efflorescence of the formative epoch following immediately upon the declaration of Independence having subsided, the destinies of the Mexican Republic were presided over by the forceful personality of President Porfirio Díaz. His régime of pacification and stabilization led to the building-up of the state administration and the development of the country's economy, though at the expense of the neglect of important social problems.

The life of the country was imbued with "Europeanism", and architecture itself followed the fashions and styles which were then showing so much instability even in Europe.

This stylistic eclecticism filled the official buildings with Gothic forms, with imitation Greek temples or with motifs inspired by pre-Hispanic architecture. The only genuine style or pseudo-style of this period, the New Art, appears in the important Palace of Fine Arts, an enormous mass of white marble, which is assuredly the most finished building in the world in this style.

One significant fact reflects the spirit of this period: the competition for the design of the Legislative Palace, building that represents the nation itself, was held in Paris and was won by a French architect. Both architecture and architects were imported, and nevertheless building still gave evidence of a monumental sense and a care for quality.

DANS LA PAIX D'UNE DICTATURE CONSTRUCTIVE

Une fois terminée la turbulente époque initiale, immédiatement postérieure à l'Indépendance, le destin de la République Mexicaine se trouve dominé par la forte personnalité du Président Porfirio Díaz. Son gouvernement, tendant principalement à tranquilliser et stabiliser son peuple, donne à l' État sa structure administrative et marque le développement économique du pays, bien qu'en négligeant encore d'importants problèmes sociaux.

Toutes les activités sont saturées d'influence européenne et l'architecture copie la mode instable de l'Europe dans ses différents styles.

L'éclectisme de style peuple les édifices officiels des formes du Gothique, des réminiscences du temple grec ou d'inspirations provenant de l'architecture pré-hispanique. Le seul style ou pseudo-style authentique de l'époque, l'Art Nouveau, fait son apparition dans une construction aussi importante que celle du Palais des Beaux Arts, énorme masse de marbre blanc, qui représente certainement dans son style l'édifice le mieux terminé du monde entier.

Un fait significatif réflète le caractère de l'époque: Le Palais Législatif, édifice représentantif de la nation elle-même, est commandé à un architecte français. L'architecture est importée et les architectes aussi, cependant on construit en grand et ce que l'on construit est de bonne qualité.

Nachdem die stuermische Formungszeit, die gleich auf die Unabhaengigkeit folgte, beendet war, wurde das Schicksal der Mexikanischen Republik durch die starke Persoenlichkeit des Praesidenten Porfirio Díaz geleitet. Seine Regierung, die im Zeichen der Beruhigung und Stabilisierung stand, machte sich im Verwaltungsaufbau des Staates und in der wirtschaftlichen Entwicklung des Landes, die auf Kosten der Nichtberuecksichtigung wichtiger sozialer Probleme voranschritt, bemerkbar.

Das ganze Schaffen war europaeisch beeinflusst und die Architektur ahmte getreu Mode und Stile nach, die jeweils mit grosser Unbestaendigkeit in Europa herrschten.

Was den Stil betrifft, ist man eklektisch, es entstehen oeffentliche Gebaeude, die gotische Formen aufweisen, Nachahmungen griechischer Tempel oder Gebaeude, die von der praehispanischen Architektur beeinflusst sind. Der einzige unverfaelschte Stil oder Pseudostil ist der der "Ars Nouveau", in welchem ein so bedeutendes Bauwerk wie der Palast der Schoenen Kuenste erbaut ist, ein Riesenbau aus weissem Marmor, der gewiss das in seinem Stil bestausgefuehrte Gebaeude der Welt ist.

Eine bedeutungsvolle Tatsache, die den Charakter der Zeit widerspiegelt, ist, dass die Erbauung des Palastes der Gesetzgebung einem franzoesischen Architekten uebertragen wurde, der zu diesem Zweck mit einer Gruppe von Mitarbeitern nach Mexico kam. Architektur und Architekten werden importiert, jedoch wird mit Sinn fuer das Monumentale und Qualitaet gebaut.

| 94 | PALACIO DE BELLAS ARTES. México, D. F. Arqs. Adamo Boari y Federico Mariscal. | 94 | PALACE OF FINE ARTS. Mexico, D. F. Architects Adamo Boari and Federico Mariscal. | 94 | PALAIS DES BEAUX-ARTS. Mexico, D. F. Adamo Boari, Federico Mariscal, arch. | 94 | PALAST DER SCHOENEN KUENSTE. Mexico, D. F. Architekten: Adamo Boari und Federico Mariscal. |

95   EDIFICIO DE CORREOS.   95   CENTRAL POST OFFICE.
      México, D. F.   Mexico, D. F.
      Arq. Adamo Boari. (1910).   Architect Adamo Boari.

95   HOTEL DES POSTES.   95   POSTGEBAEUDE.
      Mexico, D. F.   Mexico, D. F.
      Adamo Boari, arch.   Architekt: Adamo Boari.

**MONUMENTO A LA
INDEPENDENCIA**
México, D. F.
Ingenieros: Guillermo Beltrán
y Puga y Gonzalo Garita.
Arquitectos: Manuel Gorospe
y Antonio Rivas Mercado.
Escultor: Enrique Alciati.

96 **INDEPENDENCE
MONUMENT**
Mexico, D. F.
Engineers: Guillermo Beltrán
y Puga y Gonzalo Garita.
Architectes: Manuel Gorospe
y Antonio Rivas Mercado.
Sculptor: Enrique Alciati.

96 **MONUMENT DE
L'INDÉPENDENCE**
Mexico, D. F.
Ingénieurs: Guillermo Beltran
y Puga et Gonzalo Garita.
Architectes: Manuel Gorospe
et Antonio Rivas Mercado.
Sculpteur: Enrique Alciati.

96 **DENKMAL DER UNABHAE-
NIGKEIT**
Stadt Mexiko.
Ingenieure: Guillermo Beltrán
y Puga und Gonzalo Garita.
Architekten: Manuel Gorospe
und Antonio Rivas Mercado.
Bildhauer: Enrique Alciati.

97 **MONUMENTO A JUÁREZ.**
México, D. F.
Arq. Guillermo Heredia.

97 **JUAREZ MONUMENT.**
Mexico, D. F.
Arch. Guillermo Heredia.

97 **MONUMENT A JUAREZ.**
Mexico, D. F.
Guillermo Heredia, arch.

97 **JUAREZ-DENKMAL.**
Mexico, D. F.
Arch. Guillermo Heredia.

98 MONUMENTO A
CUAUHTEMOC.
México, D. F.
Ing. Francisco M. Jiménez.
Escultor Miguel Noreña,
(1887).

98 CUAUHTEMOC
MONUMENT.
Mexico, D. F.
Francisco M. Jiménez, C. E.
Miguel Noreña,
sculptor.

98 MONUMENT A
CUAUHTEMOC.
Mexico, D. F.
Francisco M. Jiménez, ing.
Miguel Noreña,
sculpteur.

98 CUAUHTEMOC-
DENKMAL.
Mexico, D. F.
Ing. Francisco M. Jiménez.
Bildhauer
Miguel Noreña.

LA LUCHA POR LA JUSTICIA SOCIAL

THE STRUGGLE FOR SOCIAL JUSTICE

LA LUTTE POUR LA JUSTICE SOCIALE

DER KAMPF UM SOZIALE GERECHTIGKEIT

99   "EL HOMBRE SEDIENTO"
MURAL CONTEMPORANEO.
México, D. F.
Pintor José Clemente
Orozco.

99   "L'HOMME ASSOIFFÉ".
PEINTURE MURALE.
Mexico, D. F.
José Clemente Orozco,
peintre.

99   "THE THIRSTY MAN",
MURAL.
Mexico, D. F.
Painted by José Clemente
Orozco.

99   "DER DURSTIGE MANN",
WANDGEMAELDE.
Mexico, D. F.
Gemalt von José Clemente
Orozco.

LA LUCHA POR LA JUSTICIA SOCIAL

El año de 1910 quedará marcado indeleblemente en la historia mexicana. Una época ha dejado de tener su razón de ser y aparece en forma incontenible y violenta, la siguiente. La Revolución Mexicana tiene un aspecto negativo, el de reacción violenta contra la dictadura porfirista y otro aspecto de tipo profundamente creador y positivo: la afirmación de lo "mexicano" y el renacimiento del espíritu nacional en todas sus manifestaciones.

El momento de la Revolución es el de una reelaboración social, económica y política, sobre una base de justicia mayor, anhelo fuertemente sentido en el pueblo y deseado por minorías intelectuales.

Esta época de lucha violenta y cruda, es de clarificación de ideales, de proyecciones hacia el futuro mucho más que de realizaciones materiales. En ella se ponen los cimientos del México actual.

THE STRUGGLE FOR SOCIAL JUSTICE

The year 1910 will always be a landmark in Mexican history. One era had ceased to have any reason for existing, and another appeared irrepressibly and violently. The Mexican Revolution had its negative aspect — that of a violent reaction against the Porfirian dictatorship — but it also had a profoundly creative and positive aspect — the affirmation of "Mexicanism" and the re-birth of the national spirit in all its aspects.

The time of the revolution was one of social, economic and political readjustment on the basis of greater justice, a goal ardently longed for by the people and wished for by intellectual minorities.

This period of harsh and violent struggle was one of clarification of ideals and of plans for the future rather than of material advance; in it the foundations of present-day Mexico were laid.

LA LUTTE POUR LA JUSTICE SOCIALE

L'année 1910 restera marquée d'une façon indélébile dans l'histoire mexicaine. La raison d'être d'une époque ayant disparu, l'époque suivante la remplace d'une façon violente et incontrôlable. La Révolution Mexicaine a un aspect négatif qui est celui de réaction violente contre la dictature de Porfirio Díaz et un aspect profondément créateur et positif: l'affirmation de ce qui est "mexicain" et la renaissance de l'esprit national dans toutes ses manifestations.

Le moment de la Révolution marque l'avénement d'un nouvel ajustement social, économique et politique, sur une base de justice plus grande, ajustement qui avait fait l'objet des voeux ardents du peuple et des minorités intellectuelles.

Cette époque de lutte violente et âcre procede à la clarification des idéaux: plus que de réalisations matérielles elle s'occupe de projets pour le futur; c'est en elle que prend racine le Mexique actuel.

DER KAMPF UM SOZIALE GERECHTIGKEIT

Das Jahr 1910 wird fuer immer in der mexikanischen Geschichte unausloeschlich sein. Eine Epoche hat den Sinn ihres Daseins verloren und eine andere kommt mit Unbaendigkeit stuermisch nach. Die Mexikanische Revolution hat eine negative Seite und zwar das heftige Aufbaeumen gegen die porfiristische Dikatur, ihre positive und aufs aeusserste schoepferische Seite ist das Bekennen zum "Mexikanischen" und das Wiedererwachen des Nationalgeistes.

Die Revolution brachte eine soziale, wirtschaftliche und politische Neuformung auf der Grundlage hoeherer Gerechtigkeit, die vom Volk so leidenschaftlich ersehnt und der Wunsch einer kleinen Gruppe von Intellektuellen war.

Diese rohe und ungestueme Kampfepoche fuehrt zur Laeuterung der Ideale und zu Zukunftsplanungen, bei denen materielles Streben in den Hintergrund tritt. Zu dieser Zeit wurden die Grundsteine des Mexiko von heute gelegt.

101 "LA TRINCHERA" MURAL CONTEMPORANEO.
México, D. F.
Pintor José Clemente Orozco.

101 "THE TRENCH", MURAL.
Mexico, D. F.
Painted by José Clemente Orozco.

101 "LA TRANCHÉ", PEINTURE MURALE.
Mexico, D. F.
José Clemente Orozco, Peintre.

101 "DER SCHUETZENGRABEN" WANDGEMAELDE.
Mexico, D. F.
Gemalt von José Clemente Orozco.

EN LA PAZ DE NUESTRA REVOLUCIÓN
IN THE PEACE OF OUR REVOLUTION
DANS LA PAIX DE NOTRE REVOLUTION
IM FRIEDEN UNSERER REVOLUTION

102 GRABADO EN MADERA.
Grabador, Alberto Beltrán.

102 WOODCUT.
Artist, Alberto Beltrán.

102 GRAVURE SUR BOIS.
Alberto Beltrán, graveur.

102 HOLZSCHNITT.
von Alberto Beltrán.

EN LA PAZ DE NUESTRA REVOLUCIÓN

Terminada la cruenta lucha revolucionaria, la paz ve levantarse un nuevo orden social, acompañado de una nueva arquitectura, cuyo fin es el de dar realidad a los ideales sociales surgidos en la lucha.

El movimiento arquitectónico moderno no es un todo homogéneo y uniforme, por el contrario, es variado en tendencias e ideas directrices; como algo surgido en una forma orgánica, sin restricciones intelectuales o estatales, se manifiesta en formas diversas, en enfoques bajo puntos de vista diferentes, dentro de la gran corriente de la arquitectura moderna.

Podemos dentro de su desarrollo, empezado en 1926, distinguir varias etapas y tendencias. En su primer momento, priva un constructivismo técnico, despojado de preocupaciones estéticas, que trata de resolver los problemas sociales en la forma más adecuada al fin perseguido. La sequedad geométrica y arquitectónica de sus formas, se halla subrayada por una pobreza en el uso de los materiales y de las técnicas actuales.

Posteriormente, la Arquitectura Mexicana toma conciencia de sí misma, no solamente bajo el punto de vista de su función social, sino también por su valor estético, ganando en riqueza y variedad de forma, sin alejarse de la realidad inalienable de los problemas que se le plantean.

En el momento actual diversidad de tendencias, personales o de grupo, matizan sus producciones, yendo desde el apego más o menos estricto a la Arquitectura moderna en general, hasta ensayos de enraizarla con la tradición plástica mexicana en el pasado, preocupándose especialmente por su integración con la pintura y escultura actuales. Dentro de los extremos de funcionalismo y tradicionalismo se pueden acusar con diferencias de grado, múltiples caminos seguidos por el arquitecto mexicano, que en conjunto forman esa manifestación de importancia mundial que es ya actualmente la Arquitectura Mexicana.

IN THE PEACE OF OUR REVOLUTION

The fierce revolutionary struggle having terminated, the ensuing peace saw the rise of a new social order accompanied by a new architecture intended to give reality to the social ideals that were born during the strife.

The modern architectural movement is not completely homogeneous and uniform; on the contrary it has varied tendencies and underlying principles. Like something that has arisen organically, without intellectual or official restrictions, it expresses itself in diverse forms and exhibits different points of view, but all within the main current of modern architecture.

In the course of its development, which began in 1926, several stages and tendencies are to be noted. In its early stages it was ruled by a spirit of technical constructionalism free from aesthetic worries that tried to solve the social problems in the manner most suitable to the desired end. The geometrical and architectural severity of its forms is emphasized by a poverty in the use of materials and modern techniques.

At a later date Mexican architecture becomes conscious of itself, not only from the point of view of its social function, but also in respect of its aesthetic value, gaining in richness and variety of form, without departing from the inescapable reality of the problems which present themselves.

At present a diversity of personal and group tendencies characterize its productions, and these range from a more or less strict adherence to modern architecture in general to attempts to link it to the Mexican plastic tradition of the past, especial attention being paid to blending it with contemporary painting and sculpture. Between the extremes of functionalism and traditionalism it is to be noticed, in different degrees, that Mexican architects are working along many different lines which in combination form that development of world importance which Mexican architecture has now become.

DANS LA PAIX DE NOTRE REVOLUTION

Une fois terminée la sanglante lutte révolutionnaire, la paix rétablie voit naître un nouvel ordre social, accompagné d'une architecture nouvelle qui cherche à incarner les nouveaux idéaux sociaux surgis à la faveur de la lutte.

Le mouvement architectonique moderne ne constitue pas un tout homogène et uniforme mais représente au contraire des tendances et des idées directrices variées; produit d'une évolution organique, sans restrictions intellectuelles ou gouvernementales, il se manifeste sous des formes diverses, aux centres d'intérêt différents, à l'intérieur du grand courant de l'architecture moderne.

On peut distinguer des étapes et des tendances différentes dans son développement qui commença en 1926. L'architecture moderne se fit remarquer tout d'abord par un "constructivisme" technique, dépouillé de préoccupations esthétiques et qui cherche a résoudre les problemes sociaux de la façon la plus adéquate au but poursuivi. La sécheresse géométrique et architectonique de ses formes est soulignée par la pauvreté des matériaux et des techniques employées.

Plus tard l'Architecture Mexicaine prit conscience d'elle-même, non seulement du point de vue de sa fonction sociale mais aussi de sa valeur esthétique, s'enrichissant et variant ses formes, sans oublier la réalité inéluctable des problèms qui lui sont posés.

On trouve actuellement parmi ses productions toute une échelle de tendances, depuis la fidélité plus ou moins stricte à l'architecture moderne en général jusqu'aux essais faits pour l'enraciner dans le passé suivant la tradition plastique mexicaine, en ayant spécialement soin de l'harmoniser avec la peinture et la sculpture actuelles. Entre le "fonctionnalisme" et le "traditionnalisme" se trouvent les multiples chemins suivis par l'architecte mexicain et dont l'ensemble forme cette manifestation d'importance mondiale qu'est actuellement l'Architecture Mexicaine.

IM FRIEDEN UNSERER REVOLUTION

Nachdem der blutige Kampf der Revolution beendet war, brachte der Frieden eine soziale Neuordnung und eine neue Architektur entstand, deren Ziel es war, die im Kampf geborenen Ideale zu verwirklichen.

Die moderne architektonische Bewegung bildet nicht ein homogenes und einheitliches Ganzes, im Gegenteil, sie ist sehr verschiedenartig in ihren Tendenzen und in den sie leitenden Ideen; so, als waere sie in organischer Form, ohne intellektuelle oder staatliche Einschraenkungen hervorgekommen, tritt sie in verschiedenartigen Formen und unter verschiedenen Gesichtspunkten innerhalb der grossen Stroemung der modernen Architektur auf.

Wir koennen in ihrer Entwicklung, die 1926 begann, mehrere Abschnitte und Richtungen unterscheiden. Zuerst herrschte ein technisches Bauen, bei dem das aesthetische Moment nicht beruecksichtigt wurde, sondern das danach trachtete, die sozialen Probleme auf angemessene und dem verfolgten Ziel bestentsprechende Weise zu loesen. Die Nuechternheit der geometrischen und architektonischen Formen wird noch durch die Duerftigkeit des angewandten Materials und der modernen Technik unterstrichen.

Spaeter wird sich die Mexikanische Architektur ihrerselbst bewusst, nicht nur wegen der sozialen Rolle, die sie spielt, sondern wegen ihres aesthetisches Wertes, denn sie entwickelt einen Reichtum und eine Mannigfaltigkeit in ihren Formen, entfernt sich aber dabei nicht von der Wirklichkeit und ihren Problemen, die es zu loesen gilt.

Gegenwaertig trifft man eine Vielzahl verschiedener Tendenzen an, die die Bauschoepfungen untereinander nuancieren, angefangen von der mehr oder weniger strikten Anlehnung an die moderne Architektur im allgemeinen bis zu Versuchen diese in die Tradition der mexikanischen Bau— und Bildkunst der Vergangenheit einzureihen, wobei man besonders bemueht ist, sie mit der zeitgenoessischen Malerei und Bildhauerei in Einklang zu bringen. Innerhalb der beiden Extreme "Funktionalismus" und "Traditionalismus" zeichnen sich mit gradmaessigen Abweichungen viele Wege ab, die vom mexikanischen Architekten beschritten wurden und die in ihrer Gesamtheit die Mexikanische Architektur darstellen, die schon heute weltweite Bedeutung hat.

103   HOSPITAL DE HUIPULCO.
Tlalpan, D. F.
Arq. José Villagrán
García.

103   HOSPITAL AT HUIPULCO.
Tlalpan, México, D. F.
Architect José Villagrán
García.

103   HÔPITAL DE HUIPULCO.
Tlalpan, Mexico D. F.
José Villagrán García,
arch.

103   KRANKENHAUS VON HUIPULCO.
Tlalpan, Mexico, D. F.
Architekt: José Villagrán García

104　CENTRO ESCOLAR
　　　"REVOLUCIÓN".
　　　México, D. F.
　　　Arq. Antonio Muñoz.

104　SCHOOL CENTER,
　　　"REVOLUCION".
　　　Mexico, D. F.
　　　Architect Antonio Muñoz.

104　CENTRE SCOLAIRE
　　　"REVOLUCION".
　　　Mexico, D. F.
　　　Antonio Muñoz, arch.

104　CENTRO ESCOLAR
　　　"REVOLUCION".
　　　Mexico, D. F.
　　　Architekt: Antonio Muñoz.

EDIFICIO DE BOMBEROS.
México, D. F.
Arq. Luis R. Ruiz.

BUILDING OF FIRE
DEPARTMENT.
México, D. F.
Architect Luis R. Ruiz.

CASERNE DE POMPIERS.
Mexico D. F.
Luis R. Ruiz, arch.

FEUERWEHRGEBAEUDE.
Mexico, D. F.
Architekt: Luis R. Ruiz.

106   EDIFICIO DE OFICINAS.
México, D. F.
Arqs. Manuel Ortiz Monaste-
rio y Bernardo Calderón y
Caso.

106   IMMEUBLE DE BUREAUX.
Mexico D. F.
Manuel Ortiz Monasterio,
Bernardo Calderón Caso, arch.

106   OFFICE BUILDING.
México, D. F.
Architects Manuel Ortiz Mo-
nasterio, Bernardo Calderón y
Caso.

106   BUEROGEBAEUDE.
Mexico, D. F.
Architekten: Manuel Ortiz Monasterio und Bernardo Calderón y Caso.

109 CASA HABITACIÓN.
México, D. F.
Arq. Ramón Marcos.

109 PRIVATE RESIDENCE.
México, D. F.
Architect Ramon Marcos.

109 MAISON D'HABITATION.
Mexico D. F.
Ramon Marcos, arch.

109 WOHNHAUS.
México, D. F.
Arch. Ramon Marcos.

| 110 CASA HABITACIÓN.
México, D. F.
Arq. Lorenzo Carrasco. | 110 PRIVATE RESIDENCE.
Mexico, D. F.
Architect Lorenzo Carrasco. | 110 MAISON D'HABITATION.
Mexico D. F.
Lorenzo Carrasco, arch. | 110 WOHNHAUS.
Mexico, D. F.
Architekt: Lorenzo Carrasco. |

CASA HABITACIÓN.
México, D. F.
Arq. E. Castañeda
Tamborrel.

MAISON D'HABITATION.
Mexico D. F.
E. Castañeda Tamborrel,
arch.

111 PRIVATE RESIDENCE.
Mexico, D. F.
Architect E. Castañeda
Tamborrel.

111 WOHNHAUS.
Mexico, D. F.
Architekt: E. Castañeda
Tamborrel.

112 CASA HABITACIÓN.
México, D. F.
Arq. E. Castañeda
Tamborrel.

112 PRIVATE RESIDENCE.
Mexico, D. F.
Architect E. Castañeda
Tamborrel.

112 MAISON D'HABITATION.
Mexico D. F.
E. Castañeda Tamborrel,
arch.

112 WOHNHAUS.
Mexico, D. F.
Architekt: E. Castañeda
Tamborrel.

113   CASA HABITACIÓN.
      México, D. F.
      Arqs. Víctor de la Lama,
      Ramón Torres M.,
      Héctor Velázquez M.

113   MAISON D'HABITATION
      Mexico D. F.
      Víctor de la Lama, Ramon
      Torres, Hector Velazquez,
      arch.

113   PRIVATE RESIDENCE.
      Mexico, D. F.
      Architects Víctor de la Lama,
      Ramon Torres, Hector
      Velazquez.

113   WOHNHAUS.
      Mexico, D. F.
      Architekten: Víctor de la La-
      ma, Ramon Torres, Hector Ve-
      lazquez.

114   **CASA HABITACIÓN.**
México, D. F.
Arqs. Víctor de la Lama,
Ramón Torres M.,
Héctor Velázquez M.

114   **MAISON D'HABITATION.**
Mexico D. F.
Víctor de la Lama, Ramon
Torres, Hector Velazquez,
arch.

114   **PRIVATE RESIDENCE.**
Mexico, D. F.
Architects Víctor de la Lama,
Ramon Torres, Hector
Velazquez.

114   **WOHNHAUS.**
Mexico, D. F.
Architekten: Víctor de la Lama, Ramon Torres, Hector Velazquez.

115 CASA HABITACIÓN. México, D. F. Arq. Jesús García Collantes.	115 PRIVATE RESIDENCE. Mexico, D. F. Architect Jesus Garcia Collantes.	115 MAISON D'HABITATION. Mexico D. F. Jesus García Collantes, arch.	115 WOHNHAUS. Mexico, D. F. Architekt: Jesus Garcia Collantes.

116 CASA HABITACIÓN.
México, D. F.
Arq. Jesús García Collantes.

116 PRIVATE RESIDENCE.
México, D. F.
Architect Jesus Garcia
Collantes.

116 MAISON D'HABITATION.
Mexico D. F.
Jesus Garcia Collantes,
arch.

116 WOHNHAUS.
Mexico, D. F.
Architekt: Jesus Garcia
Collantes.

117 CASA HABITACIÓN.
México, D. F.
Arq. Santiago
Greenham B.

117 PRIVATE RESIDENCE.
Mexico, D. F.
Architect Santiago
Greenham.

117 MAISON D'HABITATION.
Mexico D. F.
Santiago Greenham,
arch.

117 WOHNHAUS.
Mexico, D. F.
Architekt: Santiago
Greenham.

118 CASA HABITACIÓN.
México, D. F.
Arq. Santiago Greenham B.

118 PRIVATE RESIDENCE.
Mexico, D. F.
Architect Santiago
Greenham.

118 MAISON D'HABITATION.
Mexico D. F.
Santiago Greenham, arch.

118 WOHNHAUS.
Mexico, D. F.
Architekt: Santiago
Greenham.

119 CASA HABITACIÓN.
México, D. F.
Arq. Santiago
Greenham B.

119 PRIVATE RESIDENCE.
Mexico, D. F.
Architect Santiago
Greenham.

119 MAISON D'HABITATION.
Mexico D. F.
Santiago Greenham,
arch.

119 WOHNHAUS.
Mexico, D. F.
Architekt: Santiago
Greenham.

120 CASA HABITACIÓN.
México, D. F.
Arqs. Eugenio Ortiz Rubio,
Jorge Hernández de Anda.

120 PRIVATE RESIDENCE.
Mexico, D. F.
Architects Eugene Ortiz Ru-
bio, Jorge Hernandez de
Anda.

120 MAISON D'HABITATION.
Mexico D. F.
Eugenio Ortiz Rubio, Jorge
Hernandez de Anda, arch.

120 WOHNHAUS.
Mexico, D. F.
Architekten: Eugenio Ortiz
Rubio und Jorge Hernandez
de Anda.

121	CASA HABITACIÓN.	121	PRIVATE RESIDENCE.	121	MAISON D'HABITATION.	121	WOHNHAUS.
	México, D. F.		Mexico, D. F.		Mexico, D. F.		Mexico, D. F.
	Arq. Pedro		Architect Pedro		Pedro Ramírez		Architekt: Pedro
	Ramírez Vázquez.		Ramírez Vázquez.		Vázquez arch.		Ramírez Vázquez.

122	CASA HABITACIÓN.	122	PRIVATE RESIDENCE.	122	MAISON D'HABITATION.	122	WOHNHAUS.
	México, D. F.		Mexico, D. F.		Mexico D. F.		Mexico, D. F.
	Arq. López Bermúdez.		Architect López Bermúdez.		López Bermúdez, arch.		Architekt: López Bermúdez.

125	CASA HABITACIÓN.	125	PRIVATE RESIDENCE.	125	MAISON D'HABITATION.	125	WOHNHAUS.
	México, D. F.		Mexico, D. F.		Mexico D. F.		Mexico, D. F.
	Arq. Enrique		Architect Enrique		Enrique Olascoaga,		Architekt: Enrique
	Olascoaga.		Olascoaga.		arch.		Olascoaga.

126   CASA HABITACIÓN.
      México, D. F.
      Arq. Enrique Olascoaga.

126   PRIVATE RESIDENCE.
      Mexico, D. F.
      Architect Enrique Olascoaga.

126   MAISON D'HABITATION.
      Mexico D. F.
      Enrique Olascoaga,
      arch.

126   WOHNHAUS.
      Mexico, D. F.
      Architekt: Enrique
      Olascoaga.

127 CASA HABITACIÓN.
Acapulco, Edo. de Guerrero.
Arqs. Mario Pani, Enrique
del Moral.

127 PRIVATE RESIDENCE.
Acapulco, Guerrero.
Architects Mario Pani,
Enrique del Moral.

127 MAISON D'HABITATION.
Acapulco, Et. de Guerrero.
Mario Pani, Enrique del
Moral, arch.

127 WOHNHAUS.
Acapulco, Guerrero.
Achitekten: Mario Pani und
Enrique del Moral.

| 128 | CASA HABITACIÓN.
México, D. F.
Arqs. Mario Pani, Enrique
del Moral. | 128 | PRIVATE RESIDENCE.
Mexico, D. F.
Architects Mario Pani,
Enrique del Moral. | 128 | MAISON D'HABITATION.
Mexico D. F.
Mario Pani, Enrique del
Moral, arch. | 128 | WOHNHAUS.
Mexico, D. F.
Architekten: Mario Pani und
Enrique del Moral. |

130 CASA HABITACIÓN.
México, D. F.
Arq. F. Ponce Pino.

130 PRIVATE RESIDENCE.
Mexico, D. F.
Architect F. Ponce Pino.

130 MAISON D'HABITATION
Mexico D. F.
F. Ponce Pino, arch.

130 WOHNHAUS.
Mexico, D. F.
Architekt: F. Ponce Pino.

CASAS HABITACIÓN
AGRUPADAS.
México, D. F.
Arq. Agustín Rivera
Torres.

129 CLUSTER OF PRIVATE
HOUSES.
Mexico, D. F.
Architect Agustín Rivera
Torres.

GROUPE DE MAISONS
D'HABITATION.
Mexico D. F.
Agustín Rivera Torres, arch.

129 WOHNHAEUSER.
Mexico, D. F.
Architekt: Agustín Rivera
Torres.

131	CASA HABITACIÓN. México, D. F. Arq. F. Ponce Pino.	131	PRIVATE RESIDENCE. Mexico, D. F. Architect F. Ponce Pino.	131	MAISON D'HABITATION. Mexico D. F. F. Ponce Pino, arch.	131	WOHNHAUS. Mexico, D. F. Architekt: F. Ponce Pino.
132	CASA HABITACIÓN. México, D. F. Arq. David Muñoz.	132	PRIVATE RESIDENCE. Mexico, D. F. Architect David Muñoz.	132	MAISON D'HABITATION. Mexico D. F. David Muñoz, arch.	132	WOHNHAUS. Mexico, D. F. Architekt: David Muñoz.

133 CASA HABITACIÓN. México, D. F. Arq. Carlos Reyes Navarro.	133 PRIVATE RESIDENCE. Mexico, D. F. Architect Carlos Reyes Navarro.	133 MAISON D'HABITATION. México D. F. Carlos Reyes Navarro, arch.	133 WOHNHAUS. Mexico, D. F. Architekt: Carlos Reyes Navarro.
134 CASA HABITACIÓN. México, D. F. Arq. Carlos Reyes Navarro.	134 PRIVATE RESIDENCE. Mexico, D. F. Architect Carlos Reyes Navarro.	134 MAISON D'HABITATION. Mexico D. F. Carlos Reyes Navarro, arch.	134 WOHNHAUS. Mexico, D. F. Architekt: Carlos Reyes Navarro.

136 **CASA HABITACIÓN.**
México, D. F.
Arq. Nicolás Mariscal.

136 **PRIVATE RESIDENCE.**
Mexico, D. F.
Architect Nicolás Mariscal.

136 **MAISON D'HABITATION.**
Mexico D. F.
Nicolás Mariscal, arch.

136 **WOHNHAUS.**
Mexico, D. F.
Architekt: Nicolás Marisca

CASA HABITACIÓN.   135 PRIVATE RESIDENCE.
México, D. F.   Mexico, D. F.
Arq. Salvador Ortega.   Architect Salvador Ortega.

MAISON D'HABITATION.   135 WOHNHAUS.
Mexico D. F.   Mexico, D. F.
Salvador Ortega, arch.   Architekt: Salvador Ortega.

                137 CASA HABITACIÓN.   137 PRIVATE RESIDENCE.
                     México, D. F.   Mexico, D. F.
                     Arq. Jorge Rubio.   Architect Jorge Rubio.

                137 MAISON D'HABITATION.   137 WOHNHAUS.
                     Mexico D. F.   Mexico, D. F.
                     Jorge Rubio, arch.   Architekt: Jorge Rubio.

138 CASA HABITACIÓN.
México, D. F.
Arq. Felipe Salido
Torres.

138 PRIVATE RESIDENCE.
Mexico, D. F.
Architect Felipe Salido
Torres.

138 MAISON D'HABITATION.
Mexico D. F.
Felipe Salido Torres,
arch.

138 WOHNHAUS.
Mexico, D. F.
Architekt: Felipe Salido
Torres.

139 CASA HABITACIÓN.
México, D. F.
Arq. Juan Sordo
Madaleno.

139 PRIVATE RESIDENCE
Mexico, D. F.
Architect Juan Sordo
Madaleno.

139 MAISON D'HABITATION.
Mexico D. F.
Juan Sordo Madaleno,
arch.

139 WOHNHAUS.
Mexico, D. F.
Architekt: Juan Sordo
Madaleno.

| 140 | CASA HABITACIÓN, DETALLE DEL JARDIN.
México, D. F.
Arq. Juan Sordo Madaleno. | 140 | PRIVATE RESIDENCE, DETAIL OF GARDEN.
Mexico, D. F.
Architect Juan Sordo Madaleno. | 140 | MAISON D'HABITATION, DETAIL DU JARDIN.
Mexico, D. F.
Juan Sordo Madaleno, arch. | 140 | WOHNHAUS, AUSS CHNITT VOM GARTEN.
Mexico, D. F.
Architekt: Juan Sordo Madaleno. |
| 141 | CASA HABITACIÓN.
México, D. F.
Arq. Juan Sordo Madaleno. | 141 | PRIVATE RESIDENCE.
Mexico, D. F.
Architect Juan Sordo Madaleno. | 141 | MAISON D'HABITATION.
Mexico D. F.
Juan Sordo Madaleno, arch. | 141 | WOHNHAUS.
Mexico, D. F.
Architekt: Juan Sordo Madaleno. |

142 CASA HABITACIÓN.
México, D. F.
Arqs. Manuel Teja C., y Francisco Vázquez L.

142 PRIVATE RESIDENCE.
Mexico, D. F.
Architecs Manuel Teja O.,
Francisco Vázquez L.

142 MAISON D'HABITATION.
Mexico D. F.
Manuel Teja O., Francisco
Vázquez L., arch.

142 WOHNHAUS.
Mexico, D. F.
Architekten: Manuel Teja O.
und Francisco Vázquez L.

143 CASA HABITACIÓN.
México, D. F.
Arqs. Héctor Velázquez,
Ramón Torres.

143 PRIVATE RESIDENCE.
Mexico, D. F.
Architects Héctor Velázquez,
Ramón Torres.

143 MAISON D'HABITATION.
Mexico D. F.
Héctor Velázquez, Ramón
Torres, arch.

143 WOHNHAUS.
Mexico, D. F.
Architekten: Héctor Velázquez
und Ramón Torres.

144   CASA HABITACIÓN.
México, D. F.
Arqs. Héctor Velázquez,
Ramón Torres.

144   PRIVATE RESIDENCE.
Mexico, D. F.
Architects Héctor Velázquez,
Ramón Torres.

144   MAISON D'HABITATION.
Mexico D. F.
Héctor Velázquez, Ramón
Torres, arch.

144   WOHNHAUS.
Mexico, D. F.
Architekten: Héctor Velázquez
und Ramón Torres.

145   CASA HABITACIÓN.
México, D. F.
Arq. Manuel Rosen.

145   PRIVATE RESIDENCE.
Mexico, D. F.
Architect Manuel Rosen.

145   MAISON D'HABITATION.
Mexico D. F.
Manuel Rosen, arch.

145   WOHNHAUS.
Mexico, D. F.
Architekt: Manuel Rosen.

146 CASA HABITACIÓN
México, D. F.
Arq. Vicente Medel
Martínez.

146 PRIVATE RESIDENCE.
Mexico, D. F.
Architect Vicente Medel
Martínez.

146 MAISON D'HABITATION.
Mexico, D. F.
Vicente Medel Martínez
arch.

146 WOHNHAUS.
Mexico, D. F.
Architekt: Vicente Medel
Martínez.

147 CASA HABITACIÓN.
México, D. F.
Arq. Jorge L. Medellín.

147 PRIVATE RESIDENCE.
Mexico, D. F.
Architect Jorge Medellín.

147 MAISON D'HABITATION.
Mexico D. F.
Jorge L. Medellín, arch.

147 WOHNHAUS.
Mexico, D. F.
Architekt: Jorge Medellín.

148 CASA HABITACIÓN.
México, D. F.
Arq. Jorge L. Medellín.

148 PRIVATE RESIDENCE.
Mexico, D. F.
Architect Jorge L. Medellín,

148 MAISON D'HABITATION.
Mexico D. F.
Jorge L. Medellín, arch.

148 WOHNHAUS.
Mexico, D. F.
Architekt: Jorge L. Medellín,

149 CASA HABITACIÓN.
México, D. F.
Arq. Enrique Cervantes
Sánchez.

149 PRIVATE RESIDENCE.
Mexico, D. F.
Architect Enrique Cervantes
Sánchez.

149 MAISON D'HABITATION.
Mexico D. F.
Enrique Cervantes Sánchez,
arch.

149 WOHNHAUS.
Mexico, D. F.
Architekt: Enrique Cervantes
Sánchez.

CASA HABITACIÓN.
México, D. F.
Arq. Vicente Medel
Martínez.

PRIVATE RESIDENCE.
Mexico, D. F.
Architect Vicente Medel
Martínez.

MAISON D'HABITATION.
Mexico D. F.
Vicente Medel Martínez,
arch.

WOHNHAUS.
Mexico, D. F.
Architekt: Vicente Medel
Martínez.

CASA HABITACIÓN.
México, D. F.
Arq. Juan Martínez
de Velasco.

PRIVATE RESIDENCE.
Mexico, D. F.
Architect Juan Martínez
de Velasco.

MAISON D'HABITATION.
México, D. F.
Juan Martínez
de Velasco, arch.

WOHNHAUS.
México, D. F.
Architekt: Juan Martínez
de Velasco.

152   CASA HABITACIÓN.
México, D. F.
Arq. Juan Martínez
de Velasco.

152   PRIVATE RESIDENCE.
Mexico, D. F.
Architect Juan Martínez
de Velasco.

152   MAISON D'HABITATION.
México, D. F.
Juan Martínez
de Velasco, arch.

152   WOHNHAUS.
México, D. F.
Architekt: Juan Martínez
de Velasco.

153 EDIFICIO DE
APARTAMIENTOS.
México, D. F.
Arq. Ramón Marcos.

153 APARTMENT HOUSE.
Mexico, D. F.
Architect Ramón
Marcos.

153 IMMEUBLE DE RAPPORT.
Mexico D. F.
Ramón Marcos,
arch.

153 GEBAEUDE MIT
WOHNUNGEN.
Mexico, D. F.
Architekt: Ramón Marcos.

154 EDIFICIO DE
APARTAMIENTOS.
México, D. F.
Arqs. Augusto H. Alvarez,
Juan Sordo Madaleno.

154 APARTMENT HOUSE.
Mexico, D. F.
Architects Augusto H.
Alvarez, Juan Sordo
Madaleno.

154 IMMEUBLE DE RAPPORT.
Mexico D. F.
Augusto H. Alvarez, Juan
Sordo Madaleno,
arch.

154 GEBAEUDE MIT
WOHNUNGEN.
Mexico, D. F.
Architekten: Augusto H. Al-
varez, Juan Sordo Madaleno.

155 EDIFICIO DE
APARTAMIENTOS.
México, D. F.
Arq. Augusto H. Alvarez.

155 APARTMENT HOUSE.
Mexico, D. F.
Architect Augusto H.
Alvarez.

155 IMMEUBLE DE RAPPORT.
Mexico D. F.
Augusto H. Alvarez,
arch.

155 GEBAEUDE MIT
WOHNUNGEN.
Mexico, D. F.
Architekt: Augusto H. Alvarez.

156 EDIFICIO DE APARTAMIENTOS. México, D. F. Arq. Santiago Greenham.	156 APARTMENT HOUSE. Mexico, D. F. Architect Santiago Greenham.	156 IMMEUBLE DE RAPPORT. Mexico D. F. Santiago Greenham. arch.	156 GEBAEUDE MIT WOHNUNGEN. Mexico, D. F. Arch. Santiago Greenham.

157 EDIFICIO DE
APARTAMIENTOS.
México, D. F.
Arq. Abraham Zabludowsky.

157 APARTMENT HOUSE.
Mexico, D. F.
Architect Abraham
Zabludowsky,

157 IMMEUBLE DE RAPPORT.
Mexico D. F.
Abraham Zabludowsky,
arch.

157 GEBAEUDE MIT
WOHNUNGEN.
Mexico, D. F.
Arch. Abraham Zabludowsky.

158 EDIFICIO DE APARTAMIENTOS.	158 APARTMENT HOUSE.	158 IMMEUBLE DE RAPPORT.	158 GEBAEUDE MIT WOHNUNGEN.
México, D. F.	Mexico, D. F.	Mexico D. F.	Mexico, D. F.
Arq. Jorge Sánchez Ochoa.	Architect Jorge Sánchez Ochoa.	Jorge Sánchez Ochoa, arch.	Arch. Jorge Sánchez Ochoa.

159 EDIFICIO DE
APARTAMIENTOS.
México, D. F.
Arqs. Mario Pani y
Salvador Ortega.

159 APARTMENT HOUSE.
Mexico, D. F.
Architects
Mario Pani,
Salvador Ortega.

159 INMEUBLE DE RAPPORT.
Mexico, D. F.
Mario Pani,
Salvador Ortega,
arch.

159 GEBAEUDE MIT
WOHNUNGEN.
Mexico, D. F.
Architekten: Mario
Pani, Salvador Ortega.

160 EDIFICIO DE
APARTAMIENTOS.
México, D. F.
Arq. Enrique Cervantes
Sánchez,

160 APARTMENT HOUSE.
Mexico, D. F.
Architect Enrique
Cervantes
Sánchez.

160 IMMEUBLE DE
RAPPORT.
Mexico D. F.
Enrique Cervantes Sánchez,
arch.

160 GEBAEUDE MIT
WOHNUNGEN.
Mexico, D. F.
Architekt: Enrique
Cervantes Sánchez.

161 CENTRO URBANO
"PRESIDENTE JUAREZ".
México, D. F.
Arqs. Mario Pani y
Salvador Ortega.

161 GOVERNMENT HOUSING
DEVELOPMENT
"PRESIDENT JUAREZ".
Architects Mario Pani,
Salvador Ortega.
Mexico, D. F.

161 CENTRE URBAIN "PRÉSIDENT
JUAREZ".
Mexico D. F.
Mario Pani, Salvador Or-
tega, arch.

161 SIEDLUNGS PLANUNG,
MIETSHAEUSER "PRAESI-
DENT JUAREZ".
Mexico, D. F.
Architekten: Mario Pani,
Salvador Ortega.

162 CENTRO URBANO
"PRESIDENTE JUAREZ".
México, D. F.
Arqs. Mario Pani
y Salvador
Ortega.

162 GOVERNMENT HOUSING
DEVELOPMENT
"PRESIDENT JUAREZ"
Mexico, D. F.
Architects Mario Pani,
Salvador Ortega.

162 CENTRE URBAIN
"PRÉSIDENT JUAREZ".
Mexico, D. F.
Mario Pani,
Salvador
Ortega, arch.

162 SIEDLUNGS PLANUNG,
MIETSHAEUSER "PRAESI-
DENT JUAREZ".
Mexico, D. F.
Architekten: Mario Pani,
Salvador Ortega.

163 ˙ CENTRO URBANO
"PRESIDENTE JUAREZ".
Arq. Enrique Yáñez.
México, D. F.
Arqs. Mario Pani y
Salvador Ortega.

163 GOVERNMENT HOUSING
DEVELOPMENT
"PRESIDENT JUAREZ".
México, D. F.
Architects Mario Pani,
Salvador Ortega.

163 CENTRE URBAIN "PRÉSIDENT
JUAREZ".
Mexico D. F.
Mario Pani, Salvador Or-
tega, arch.

163 SIEDLUNGS PLANUNG,
MIETSHAEUSER "PRAESI-
DENT JUAREZ".
Mexico, D. F.
Architekten: Mario Pani,
Salvador Ortega.

164 CENTRO URBANO
"PRESIDENTE JUAREZ"
México, D. F.
Arqs. Mario Pani y
Salvador Ortega.

164 GOVERNMENT HOUSING
DEVELOPMENT
"PRESIDENT JUAREZ".
México, D. F.
Architects Mario Pani,
Salvador Ortega.

164 CENTRE URBAIN "PRÉSIDENT
JUAREZ".
Mexico D. F.
Mario Pani, Salvador Or-
tega, arch.

164 SIEDLUNGS PLANUNG,
MIETSHAEUSER "PRAESI-
DENT JUAREZ".
Mexico, D. F.
Architekten: Mario Pani,
Salvador Ortega.

165 SALON DE TE "FLAMINA" 165 TEA ROOM "FLAMINIA". 165 SALON DE THE "FLAMINIA". 165 TEESALON "FLAMINIA".
México, D. F. Mexico, D. F. Mexico D. F. Mexico, D. F.
Arq. Enrique Architect Enrique Enrique Olascoaga, Architekt: Enrique
Olascoaga. Olascoaga. arch. Olascoaga.

166 LOCAL COMERCIAL.
México, D. F.
Arq. Juan Sordo
Madaleno.

166 SHOP.
Mexico, D. F.
Architect Juan Sordo
Madaleno.

166 LOCAL COMMERCIAL.
Mexico D. F.
Juan Sordo Madaleno,
arch.

166 GESCHAEFTSHAUS.
Mexico, D. F.
Architekt: Juan Sordo
Madaleno.

167   **LOCAL COMERCIAL.**
México, D. F.
Arq. Juan Sordo
Madaleno.

167   **SHOP.**
Mexico, D. F.
Architect Juan Sordo
Madaleno.

167   **LOCAL COMMERCIAL.**
Mexico D. F.
Juan Sordo Madaleno.
arch.

167   **GESCHAEFTSHAUS.**
Mexico, D. F.
Architekt: Juan Sordo
Madaleno.

169   **LOCAL COMERCIAL.**
México, D. F.
Arq. Augusto Alvarez.

169   **SHOP.**
Mexico, D. F.
Architect Augusto A

169   **LOCAL COMMERCIAL.**
Mexico D. F.
Augusto Alvarez, arch.

169   **GESCHAEFTSHAUS.**
Mexico, D. F.
Architekt: Augusto A

168 LOCAL COMERCIAL.
México, D. F.
Arqs. Manuel González Rul
y Eduardo Méndez
Fernández.

168 SHOP.
Mexico, D. F.
Architects Manuel González
Rul, Eduardo Méndez
Fernández.

168 LOCAL COMMERCIAL.
Mexico D. F.
Manuel González Rul, Eduardo Méndez Fernández,
arch.

168 GESCHAEFTSHAUS.
Mexico, D. F.
Architekten: Manuel Gonzá-
les Rul, Eduardo Méndez
Fernández.

171 EDIFICIO DE OFICINAS. México, D. F. Arq. Enrique del Moral.	171 OFFICE BUILDING. Mexico, D. F. Architect Enrique del Moral.	171 IMMEUBLE DE BUREAUX. Mexico D. F. Enrique del Moral, arch.	171 BUEROGEBAEUDE. México, D. F. Architekt: Enrique del Moral.

172   EDIFICIO DE OFICINAS.
México, D. F.
Arq. Enrique del
Moral.

172   OFFICE BUILDING.
Mexico, D. F.
Architect Enrique del
Moral.

172   IMMEUBLE DE BUREAUX.
Mexico D. F.
Enrique del Moral,
arch.

172   BUEROGEBAEUDE.
Mexico, D. F.
Architekt: Enrique del
Moral.

173   SECRETARIA DE RECURSOS
HIDRAULICOS.
México, D. F.
Arqs. Mario Pani y Enrique
del Moral.

173   MINISTRY OF HYDRA
RESOURCES.
Mexico, D. F.
Architects Mario Pani
Enrique del Moral.

173   MINISTÈRE DES RESSOURCES
HIDRAULIQUES.
Mexico D. F.
Mario Pani, Enrique del
Moral, arch.

173   MINISTERIUM FUER
WASSERVERSORGUNG
Mexico, D. F.
Architekten: Mario Pan
Enrique del Moral.

SECRETARÍA DE RECURSOS
HIDRÁULICOS.
México, D. F.
Arqs. Mario Pani y Enrique
del Moral.

MINISTRY OF HYDRAULIC
RESOURCES.
Mexico, D. F.
Architects Mario Pani and
Enrique del Moral.

MINISTÈRE DES RESSOUR-
CES HYDRAULIQUES.
Mexico, D. F.
Mario Pani, Enrique del
Moral, arch.

MINISTERIUM FUER
WASSERVERSORGUNG.
Mexico, D. F.
Architekten: Mario Pani und
Enrique del Moral.

175   EDIFICIO DE OFICINAS.
      México, D. F.
      Arqs. Mario Pani, Jesús G.
      Collantes.

175   OFFICE BUILDING.
      Mexico, D. F.
      Architects Mario Pani,
      Jesús G. Collantes.

175   IMMEUBLE DE BUREAUX.
      Mexico D. F.
      Mario Pani, Jesús G.
      Collantes, arch.

175   BUEROGEBAEUDE.
      Mexico, D. F.
      Architekten: Mario Pani und
      Jesús G. Collantes.

176 EDIFICIO DE OFICINAS.
México, D. F.
Arqs. Mario Pani, Jesús G.
Collantes.

176 OFFICE BUILDING.
Mexico, D. F.
Architects Mario Pani,
Jesús G. Collantes.

176 IMMEUBLE DE BUREAUX.
Mexico D. F.
Mario Pani, Jesús G. Collantes,
arch.

176 BUEROGEBAEUDE.
Mexico, D. F.
Architekten: Mario Pani und
Jesús G. Collantes.

177 EDIFICIO DE OFICINAS. México, D. F. Arq. Juan Sordo Madaleno.	177 OFFICE BUILDING. Mexico, D. F. Architect Juan Sordo Madaleno.	177 IMMEUBLE DE BUREAUX. Mexico D. F. Juan Sordo Madaleno, arch.	177 BUEROGEBAEUDE. México, D. F. Architekt: Juan Sordo Madaleno.

178 EDIFICIO DE OFICINAS.	178 OFFICE BUILDING.	178 IMMEUBLE DE BUREAUX.	178 BUEROGEBAEUDE.
México, D. F.	Mexico, D. F.	Mexico D. F.	México, D. F.
Arq. Juan Sordo	Architect Juan Sordo	Juan Sordo Madaleno,	Architekt: Juan Sordo
Madaleno.	Madaleno.	arch.	Madaleno.

179 EDIFICIO DE OFICINAS.	179 OFFICE BUILDING.	179 IMMEUBLE DE BUREAUX.	179 BUEROGEBAEUDE.
México, D. F.	Mexico, D. F.	Mexico D. F.	México, D. F.
Arq. Juan Sordo	Architect Juan Sordo	Juan Sordo Madaleno,	Architekt: Juan Sordo
Madaleno.	Madaleno.	arch.	Madaleno.

181   EDIFICIO DE OFICINAS.
México, D. F.
Arq. Ramón Marcos.

181   OFFICE BUILDING.
Mexico, D. F.
Architect Ramon Marcos.

181   IMMEUBLE DE BUREAUX.
Mexico D. F.
Ramon Marcos, arch.

181   BUEROGEBAEUDE.
Mexico, D. F.
Architekt: Ramon Marcos.

EDIFICIO DE OFICINAS.
México, D. F.
Arqs. J. Villagrán García y
Enrique del
Moral.

IMMEUBLE DE BUREAUX.
Mexico D. F.
Jose Villagran Garcia, Enrique del Moral,
arch.

180   OFFICE BUILDING.
Mexico, D. F.
Architects J. Villagran Gar-
cia and Enrique del
Moral.

180   BUEROGEBAEUDE.
Mexico, D. F.
Architekten: J. Villagran
Garcia und Enrique del
Moral.

182   EDIFICIO DE OFICINAS.
       México, D. F.
       Arq. Enrique de la Mora.

182   OFFICE BUILDING.
       Mexico, D. F.
       Architect Enrique de la
       Mora.

182   IMMEUBLE DE BUREAUX
       Mexico D. F.
       Enrique de la Mora, arch.

182   BUEROGEBAEUDE.
       Mexico, D. F.
       Architekt: Enrique de la
       Mora.

183 EDIFICIO DE OFICINAS.
México, D. F.
Arq. Carlos Lazo.

183 OFFICE BUILDING.
Mexico, D. F.
Architect Carlos Lazo.

183 IMMEUBLE DE BUREAUX.
Mexico D. F.
Carlos Lazo, arch.

183 BUEROGEBAEUDE.
Mexico, D. F.
Architekt: Carlos Lazo.

184   EDIFICIO DE
       ESTACIONAMIENTO.
       México, D. F.
       Arq. José Villagrán García.

184   PARKING BUILDING.
       Mexico, D. F.
       Architect Jose Villagran
       Garcia.

184   IMMEUBLE DE STATIONNE-
       MENT DE VOITURES.
       Mexico D. F.
       Jose Villagran García, arch.

184   HOCHGARAGE.
       Mexico, D. F.
       Architekt: Jose Villagran
       Garcia.

185	GASOLINERA, TALLERES DE REPARACION Y CENTRO COMERCIAL. México, D. F. Arq. Vladimir Kaspé.	185	SERVICE STATION AND COMMERCIAL CENTER. Mexico, D. F. Architect Vladimir Kaspe.	185	STATION D'ESSENCE, ATELIERS DE REPARATION ET CENTRE COMMERCIAL. Mexico D. F. Vladimir Kaspe, arch.	185	TANKSTELLE, REPARATUR-WERKSTAETTE UND VER-KAUFSSTELLE. Mexico, D. F. Architekt: Vladimir Kaspe.

186   GASOLINERA, TALLERES DE REPARACION Y CENTRO COMERCIAL.
México, D. F.
Arq. Vladimir Kaspé.

186   SERVICE STATION AND COMMERCIAL CENTER.
Mexico, D. F.
Architect Vladimir Kaspe.

186   STATION D'ESSENCE, ATELIERS DE REPARATION ET CENTRE COMMERCIAL.
Mexico D. F.
Vladimir Kaspe, arch.

186   TANKSTELLE, REPARATURWERKSTAETTE UND VERKAUFSSTELLE.
Mexico, D. F.
Architekt: Vladimir Kaspe.

187 SECRETARIA DE COMUNI-
CACIONES Y OBRAS
PUBLICAS.
México, D. F.
Arqs. Carlos Lazo, Augusto
Pérez Palacios y Raúl
Cacho.

187 MINISTRY OF COMMUNICA-
TIONS AND PUBLIC WORKS.
Mexico, D. F.
Architects Carlos Lazo, Au-
gusto Perez Palacios and
Raul Cacho.

187 MINISTÉRE DES TRANSPORTS
ET DES PONTS ET CHAUS-
SÉES.
Mexico D. F.
Carlos Lazo, Augusto Perez
Palacios, Raul Cacho,
arch.

187 MINISTERIUM FUER OEF-
FENTLICHES NACHRICHTEN
— VERKEHRS — UND BAU-
WESEN.
Mexico, D. F.
Architekten: Carlos Lazo,
Augusto Perez Palacios
und Raul Cacho.

188 SECRETARIA DE COMUNI-
CACIONES Y OBRAS
PUBLICAS.
México, D. F.
Arqs. Carlos Lazo, Augusto
Pérez Palacios y Raúl
Cacho.

188 MINISTRY OF COMMUNICA-
TIONS AND PUBLIC WORKS.
Mexico, D. F.
Architects Carlos Lazo, Au-
gusto Perez Palacios and
Raul Cacho.

188 MINISTÈRE DES TRANSPORTS
ET DES PONTS ET CHAUS-
SÉES.
Mexico D. F.
Carlos Lazo, Augusto Perez
Palacios, Raul Cacho,
arch.

188 MINISTERIUM FUER OEF-
FENTLICHES NACHRICHTEN
— VERKEHRS — UND BAU-
WESEN.
Mexico, D. F.
Architekten: Carlos Lazo,
Augusto Perez Palacios
und Raul Cacho.

189 SECRETARIA DE COMUNI-
CACIONES Y OBRAS
PUBLICAS.
México, D. F.
Arqs. Carlos Lazo, Augusto
Pérez Palacios y Raúl
Cacho.

189 MINISTRY OF COMMUNICA-
TIONS AND PUBLIC WORKS.
Mexico, D. F.
Architects Carlos Lazo, Au-
gusto Perez Palacios and
Raul Cacho.

189 MINISTÈRE DES TRANSPORTS
ET DES PONTS ET CHAUS-
SÉES.
Mexico D. F.
Carlos Lazo, Augusto Perez
Palacios, Raul Cacho,
arch.

189 MINISTERIUM FUER OEF-
FENTLICHES NACHRICHTEN
— VERKEHRS — UND BAU-
WESEN.
Mexico, D. F.
Architekten: Carlos Lazo,
Augusto Perez Palacios
und Raul Cacho.

190 SECRETARÍA DE COMUNI-
CACIONES Y OBRAS
PÚBLICAS.
México, D. F.
Escultor: Francisco Zúñiga.

190 MINISTRY OF COMMUNICA-
TIONS AND PUBLIC
WORKS.
Mexico, D. F.
Francisco Zuñiga, sculptor.

190 MINISTÉRE DES TRANSPORTS
ET DES PONTS ET
CHAUSSÉES.
Mexico, D. F.
Francisco Zuñiga, sculpteur.

190 MINISTERIUM FUER OEF-
FENTLICHES NACHRICHTEN
-VERKEHRS-UND BAUWESEN.
Mexico, D. F.
Bildhauer: Francisco Zuñiga.

| 191 | SECRETARÍA DEL TRABAJO Y PREVISIÓN SOCIAL.
México, D. F.
Arqs. Pedro Ramírez Vázquez y Rafael Mijares. | 191 | MINISTRY OF LABOUR AND SOCIAL WELFARE.
Mexico, D. F.
Architecs Pedro Ramírez Vazquez, and Rafael Mijares. | 191 | MINISTÈRE DU TRAVAIL ET DE LA PRÉVOYANCE SOCIALE.
Mexico D. F.
Pedro Ramirez Vazquez, Rafael Mijares, arch. | 191 | MINISTERIUM FUER ARBEIT UND SOZIALE FUERSORGE.
Mexico, D. F.
Architekten: Pedro Ramirez Vazquez und Rafael Mijares. |

192 SECRETARÍA DEL TRABAJO
Y PREVISIÓN SOCIAL.
México, D. F.
Arqs. Pedro Ramírez Váz-
quez y Rafael Mijares.

192 MINISTRY OF LABOUR AND
SOCIAL WELFARE.
Mexico, D. F.
Architects Pedro Ramirez
Vazquez and Rafael Mijares.

192 MINISTÈRE DU TRAVAIL ET
DE LA PRÉVOYANCE
SOCIALE.
Mexico D. F.
Pedro Ramirez Vazquez,
Rafael Mijares, arch.

192 MINISTERIUM FUER ARBEIT
UND SOZIALE FUERSORGE.
Mexico, D. F.
Architekten: Pedro Ramirez
Vazquez und Rafael
Mijares.

193   SECRETARÍA DEL TRABAJO
Y PREVISIÓN SOCIAL.
México, D. F.
Arqs. Pedro Ramírez Váz-
quez y Rafael Mijares.

193   MINISTRY OF LABOUR AND
SOCIAL WELFARE.
Mexico, D. F.
Architects Pedro Ramirez
Vazquez and Rafael Mijares.

193   MINISTÈRE DU TRAVAIL ET
DE LA PRÉVOYANCE
SOCIALE.
Mexico D. F.
Pedro Ramirez Vazquez,
Rafael Mijares, arch.

193   MINISTERIUM FUER ARBEIT
UND SOZIALE FUERSORGE
Mexico, D. F.
Architekten: Pedro Ramirez
Vazquez und Rafael
Mijares.

194   SECRETARIA DEL TRABAJO 194   MINISTRY OF LABOUR AND 194   MINISTÈRE DU TRAVAIL ET 194   MINISTERIUM FUER ARBEIT

SECRETARIA DEL TRABAJO
Y PREVISIÓN SOCIAL.
México, D. F.
Arqs. Pedro Ramírez Váz-
quez y Rafael
Mijares.

MINISTRY OF LABOUR AND
SOCIAL WELFARE.
Mexico, D. F.
Architects Pedro Ramírez
Vázquez and Rafael
Mijares.

MINISTÈRE DU TRAVAIL ET
DE LA PRÉVOYANCE
SOCIALE.
Mexico D. F.
Pedro Ramírez Vázquez
Rafael Mijares, arch.

MINISTERIUM FUER ARBEIT
UND SOZIALE FUERSORGE.
Mexico, D. F.
Architekten: Pedro Ramírez
Vázquez und Rafael
Mijares.

195 EDIFICIO DEL REGISTRO
PÚBLICO DE LA PROPIEDAD.
México, D. F.
Arq. Federico Mariscal.

195 PUBLIC REGISTRY OF PRO-
PERTY'S BUILDING.
Mexico, D. F.
Architect Federico Mariscal.

195 ÉDIFICE DE L'ENREGISTRE-
MENT PUBLIC DE LA
PROPRIÉTÉ.
Mexico D. F.
Federico Mariscal, arch.

195 GRUNDBUCHSAMT UND
HANDELSREGISTER.
Mexico, D. F.
Architekt: Federico
Mariscal.

196 INSTITUTO MEXICANO DEL
SEGURO SOCIAL.
México, D. F.
Arq. Carlos Obregón
Santacilia.

196 MEXICAN INSTITUTE OF
SOCIAL SECURITY.
Mexico, D. F.
Architect Carlos Obregón
Santacilia,

196 INSTITUT MEXICAIN DE LA
SÉCURITÉ SOCIALE.
Mexico D. F.
Carlos Obregón Santacilia,
arch.

196 MEXIKANISCHES INSTITUT
FUER SOZIALVERSICHE-
RUNG.
Mexico, D. F.
Arch. Carlos Obregón Santicilia

197 HOSPITAL
"GEA GONZALEZ".
Tlalpan, D. F.
Arq. José Villagrán
García.

197 THE "GEA GONZALEZ"
HOSPITAL.
Tlalpan, D. F.
Architect José Villagrán
García.

197 HÔPITAL "GEA GONZALEZ".
Tlalpan, D. F.
José Villagrán
García,
arch.

197 KRAKENHAUS "GEA
GONZALEZ".
Tlalpan, D. F.
Architekt: José Villagrán
García.

198   HOSPITAL DE ZONA DEL
      SEGURO SOCIAL.
      México, D. F.
      Arq. Enrique Yáñez.

198   SOCIAL SECURITY ZONE
      HOSPITAL.
      Mexico, D. F.
      Architect Enrique Yáñez.

198   HÔPITAL DE ZONE DE LA
      SÉCURITÉ SOCIALE.
      Mexico D. F.
      Enrique Yáñez, arch.

199 HOSPITAL DE ZONA DEL
SEGURO SOCIAL.
México, D. F.
Arq. Enrique Yáñez.

199 HÔPITAL DE ZONE DE LA
SÉCURITÉ SOCIALE.
Mexico D. F
Enrique Yáñez, arch.

199 SOCIAL SECURITY ZONE
HOSPITAL.
Mexico, D. F.
Architect Enrique Yáñez.

199 BEZIRKSKRANKENHAUS DER
SOZIALVERSICHERUNG.
Mexico, D. F.
Architekt: Enrique Yáñez.

198 BEZIRKSKRANKENHAUS DER
SOZIALVERSICHERUNG.
Mexico, D. F.
Architekt: Enrique Yáñez.

200 HOSPITAL DE ZONA DEL
SEGURO SOCIAL.
México, D. F.
Arq. Enrique Yáñez.

200 SOCIAL SECURITY ZONE
HOSPITAL.
Mexico, D. F.
Architect Enrique Yáñez.

200 HÔPITAL DE ZONE DE LA
SÉCURITÉ SOCIALE.
Mexico D. F.
Enrique Yáñez, arch.

200 BEZIRKSKRANKENHAUS DER
SOZIALVERSICHERUNG.
Mexico, D. F.
Architekt: Enrique Yáñez.

201 JARDIN DE NIÑOS
México, D. F.
Arq. Enrique de la
Mora.

201 KINDERGARTEN.
Mexico, D. F.
Architect Enrique de la
Mora.

201 JARDIN D'ENFANTS.
Mexico D. F.
Enrique de la Mora,
arch.

201 KINDERGARTEN.
Mexico, D. F.
Architekt: Enrique de la
Mora.

203   CENTRO DE ORIENTACIÓN.
México, D. F.
Arq. Mauricio Gómez
Mayorga.

203   CENTRO DE ORIENTACION
(HIGH SCHOOL FOR
ADULTS).
Mexico, D. F.
Architect Mauricio Gomez
Mayorga.

203   CENTRE D'ORIENTATION.
Mexico D. F.
Mauricio Gomez Mayorga,
arch.

203   BERUFSSCHULE.
Mexico, D. F.
Architekt: Mauricio Gómez
Mayorga.

JARDIN DE NIÑOS.   202   KINDERGARTEN.
México, D. F.   Mexico, D. F.
Arq. Enrique de la   Architect Enrique de la
Mora.   Mora.

JARDIN D'ENFANTS.   202   KINDERGARTEN.
Mexico D. F.   Mexico, D. F.
Enrique de la Mora,   Architekt: Enrique de la
                              Mora.

204 LICEO FRANCO MEXICANO.
México, D. F.
Arq. Vladimir
Kaspé.

204 FRENCH-MEXICAN LYCEUM.
Mexico, D. F.
Architect Vladimir
Kaspé.

204 LYCÉE FRANCO-MEXICAIN.
Mexico D. F.
Vladimir Kaspe,
arch.

204 FRANCO-MEXIKANISCHES
LYZEUM.
Mexico, D. F.
Architekt: Vladimir Kaspe.

205 LICEO FRANCO MEXICANO.
México, D. F.
Arq. Vladimir Kaspé.

205 FRENCH-MEXICAN LYCEUM.
Mexico, D. F.
Architect Vladimir Kaspé.

205 LYCÉE FRANCO-MEXICAIN.
Mexico D. F.
Vladimir Kaspe,
arch.

205 FRANCO-MEXIKANISCHES
LYZEUM.
Mexico, D. F.
Architekt: Vladimir Kaspe.

206 LICEO FRANCO MEXICANO.
México, D. F.
Arq. Vladimir
Kaspé.

206 FRENCH-MEXICAN LYCEUM.
Mexico, D. F.
Architect Vladimir
Kaspe.

206 LYCÉE FRANCO-MEXICAIN.
Mexico D. F.
Vladimir Kaspe,
arch.

206 FRANCO-MEXIKANISCHES
LYZEUM.
Mexico, D. F.
Architekt: Vladimir Kaspe.

207 ESCUELA PRIMARIA.
México, D. F.
Arq. Luis G.
Rivadeneyra.

207 PRIMARY AND GRAMMAR
SCHOOL.
Mexico, D. F.
Architect Luis G. Rivadeneyra.

207 ÉCOLE PRIMAIRE.
Mexico D. F.
Luis G. Rivadeneyra,
arch.

207 VOLKSSCHULE.
Mexico, D. F.
Architekt: Luis G.
Rivadeneyra.

208	ESCUELA PRIMARIA. México, D. F. Arq. Luis G. Rivadeneyra.	208	PRIMARY AND GRAMMAR SCHOOL. Mexico, D. F. Architect Luis G. Rivadeneyra.	208	ÉCOLE PRIMAIRE. Mexico D. F. Luis G. Rivadeneyra, arch.	208	VOLKSSCHULE. Mexico, D. F. Architekt: Luis G. Rivadeneyra.
209	JARDIN DE NIÑOS. México, D. F. Arq. Manuel Rosen.	209	KINDERGARTEN. Mexico, D. F. Architect Manuel Rosen.	209	JARDIN D'ENFANTS. Mexico D. F. Manuel Rosen, arch.	209	KINDERGARTEN. Mexico, D. F. Architekt: Manuel Rosen.

210	ESCUELA PRIMARIA. Ranchería "El Copital", Veracruz. Arq. Luis G. Rivadeneyra.	210	PRIMARY AND GRAMMAR SCHOOL. "El Copital", village, State of Veracruz. Architect Luis G. Rivadeneyra.	210	ÉCOLE PRIMAIRE. Ferme "Le Copital", Veracruz. Luis G. Rivadeneyra, arch.	210	VOLKSSCHULE. Mexico, D. F. Ranchería "El Copital", Veracruz. Architekt: Luis G. Rivadeneyra.
211	ESCUELA PRIMARIA. México, D. F. Arq. Pedro Ramírez Vázquez.	211	PRIMARY AND GRAMMAR SCHOOL. Mexico, D. F. Architect Pedro Ramirez Vazquez.	211	ÉCOLE PRIMAIRE. Mexico, D. F. Pedro Ramirez Vazquez, arch.	211	VOLKSSCHULE. Mexico, D. F. Architekt: Pedro Ramirez Vazquez.

212 ESCUELA SECUNDARIA.
Arq. Luis G.
Rivadeneyra.

212 HIGH SCHOOL.
Architect Luis G.
Rivadeneyra.

212 ÉCOLE SECONDAIRE.
Luis G. Rivadeneyra,
arch.

212 HOEHERE SCHULE
Architekt: Luis G.
Rivadeneyra.

13	ESCUELA SECUNDARIA. Arq. Luis G. Rivadeneyra.	213	HIGH SCHOOL. Architect Luis G. Rivadeneyra.	213	ÉCOLE SECONDAIRE. Luis G. Rivadeneyra, arch.	213	HOEHERE SCHULE. Architekt: Luis G. Rivadenyra.
14	ESCUELA. México, D. F. Arq. Pedro Ramírez Vázquez .	214	SCHOOL BUILDING. Mexico, D. F. Architect Pedro Ramirez Vazquez.	214	ÉCOLE. Mexico, D. F. Pedro Ramirez Vazquez, arch.	214	SCHULE. Mexico, D. F. Architekt: Pedro Ramirez Vazquez.

215 ESCUELA PRIMARIA.
Coyoacán, D. F.
Arq. José Luis
Certucha.

215 PRIMARY AND GRAMMAR
SCHOOL.
Coyoacan, D. F.
Architect José Luis Certucha.

215 ÉCOLE PRIMAIRE.
Coyoacan, D. F.
Jose Luis Certucha,
arch.

215 VOLKSSCHULE.
Coyoacan, D. F.
Architekt: Jose Luis
Certucha.

216 ESCUELA PRIMARIA.
Coyoacán, D. F.
Arq. José Luis Certucha.

216 PRIMARY AND GRAMMAR
SCHOOL.
Coyoacan, D. F.
Architect José Luis
Certucha.

216 ÉCOLE PRIMAIRE
Coyoacan, D. F.
Jose Luis Certucha, arch.

216 VOLKSSCHULE.
Coyoacan, D. F.
Architekt: José Luis
Certucha.

217 ESCUELA NORMAL DE
MAESTROS
México, D. F.
Arq. Mario Pani.

217 TEACHERS' COLLEGE.
Mexico, D. F.
Architect Mario Pani.

217 ÉCOLE NORMALE.
D'INSTITUTEURS.
Mexico, D. F.
Mario Pani, arch.

217 LEHRERBILDUNGSANSTALT.
Mexico, D. F.
Architekt: Mario Pani.

218	TALLERES DE LA ESCUELA NACIONAL DE MAESTROS. México, D. F. Arq. Juan Martínez de Velasco.	218	WORKSHOPS AT TEACHERS' COLLEGE. Mexico, D. F. Architect Juan Martínez de Velasco.	218	ATELIERS DE L'ÉCOLE NATIONALE D'INSTITUTEURS. Mexico, D. F. Juan Martinez de Velasco, arch.	218	WERKSTAETTEN DER NATIONALEN LEHRERBILDUNGS-ANSTALT. México, D. F. Architekt: Juan Martinez de Velasco.
219	ESCUELA SECUNDARIA. Coatzacoalcos, Ver. Arq. Vicente Medel M.	219	HIGH SCHOOL. Coatzacoalcos, State of Veracruz. Architect Vicente Medel M.	219	ÉCOLE SECONDAIRE. Coatzacoalcos, Et. de Veracruz. Vicente Medel M., arch.	219	HOEHERE SCHULE. Coatzacoalcos, im Staat Veracruz. Architekt: Vicente Medel M.

220   ESCUELA SECUNDARI.
      México, D. F.
      Arq. Raúl Fernández.

220   HIGH SCHOOL.
      Mexico, D. F.
      Architect Raúl Fernández.

220   ÉCOLE SECONDAIRE.
      Mexico D. F.
      Raúl Fernández, arch.

220   HOEHERE SCHULE.
      Mexico, D. F.
      Architekt: Raúl Fernández.

221 FÁBRICA DE VINOS.
México, D. F.
Arq. Jesús García
Collantes.

221 VINE FACTORY.
Mexico, D. F.
Architect Jesús García
Collantes.

221 CHAI À VINS.
Mexico D. F.
Jesús García Collantes,
arch.

221 GEBAEUDE EINER
WEININDUSTRIE.
Mexico, D. F.
Architekt: Jesús García Collantes.

222 **FÁBRICAS AUTO-MEX.**
México, D. F.
Arqs. Guillermo Rosell y
Lorenzo Carrasco.

222 **"AUTO-MEX" FACTORY.**
Mexico, D. F.
Architects Guillermo Rosell,
Lorenzo Carrasco.

222 **USINE AUTO-MEX.**
Mexico D. F.
Guillermo Rosell, Lorenzo
Carrasco, arch.

222 **FABRIKGEBAUDE "AUTO-MEX"**
Mexico, D. F.
Architekten: Guillermo Ro-
sell und Lorenzo Carrasco.

223 FÁBRICA AUTO-MEX.
México, D. F.
Arqs. Guillermo
Rosell y Lorenzo
Carrasco.

223 "AUTO-MEX" FACTORY.
Mexico, D. F.
Architects Guillermo
Rosell, Lorenzo
Carrasco.

223 USINE AUTO-MEX.
Mexico D. F.
Guillermo Rosell,
Lorenzo Carrasco,
arch.

223 FABRIKGEBAEUDE
"AUTO-MEX".
Mexico, D. F.
Architekten: Guillermo Ro-
sell und Lorenzo Carrasco.

224 FÁBRICA "CIBA".
México, D. F.
Arq. Alejandro Prieto.

224 "CIBA" FACTORY.
Mexico, D. F.
Architect Alejandro Prieto.

224 USINE "CIBA".
Mexico D. F.
Alejandro Prieto, arch.

224 FABRIKGEBAEUDE "CIBA".
Mexico, D. F.
Architekt: Alejandro Prieto.

225 FÁBRICA "CIBA".
México, D. F.
Arq. Alejandro Prieto.

225 "CIBA" FACTORY.
Mexico, D. F.
Architect Alejandro Prieto.

225 USINE "CIBA".
Mexico D. F.
Alejandro Prieto, arch.

225 FABRIKGEBAEUDE "CIBA".
Mexico, D. F.
Architekt: Alejandro Prieto.

226   CIUDAD SAHAGUN.
Edo. de Hidalgo.
Arqs. Carlos Lazo, David Muñoz y Francisco Calderón.

226   CIUDAD SAHAGUN.
State of Hidalgo.
Architects Carlos Lazo, David Muñoz and Francisco Calderón.

226   CIUDAD SAHAGUN.
Etat de Hidalgo.
Carlos Lazo, David Muñoz, Francisco Calderón, arch.

226   CIUDAD SAHAGUN.
Staat Hidalgo.
Architekten: Carlos Lazo, David Muñoz und Francisco Calderón.

227 AUDITORIO NACIONAL.
México, D. F.
Arqs. Pedro Ramírez Váz-
quez, Ramiro González del
Sordo, Fernando Beltrán
y Fernando Peña.

227 NATIONAL AUDITORIUM.
Mexico, D. F.
Architects Pedro Ramírez
Vázquez, Ramiro González
del Sordo, Fernando Bel-
trán and Fernando Peña.

227 AUDITORIUM NATIONAL.
Mexico D. F.
Pedro Ramírez Vázauez, Ra-
miro González del Sordo,
Fernando Beltrán, Fernan-
do Peña, arch.

227 NATIONALES AUDITORIUM.
Mexico, D. F.
Architekten: Pedro Ramírez
Vázquez, Ramiro González
del Sordo, Fernando Bel-
trán und Fernando Peña.

228 AUDITORIO NACIONAL.
México, D. F.
Arqs. Pedro Ramírez Váz-
quez, Ramiro González del
Sordo, Fernando Beltrán
y Fernando Peña.

228 AUDITORIUM NATIONAL.
Mexico, D. F.
Pedro Ramirez Vazquez, Ra-
miro Gonzalez del Sordo,
Fernando Beltran, Fernan-
do Peña, arch.

228 NATIONAL AUDITORIUM.
Mexico, D. F.
Architects Pedro Ramirez
Vazquez, Ramiro Gonzalez
del Sordo, Fernando Bel-
tran and Fernando Peña.

228 NATIONALES AUDITORIUM.
Mexico, D. F.
Architekten: Pedro Ramirez
Vazquez, Ramiro Gonzalez
del Sordo, Fernando Bel-
tran und Fernando Peña.

230 AUDITORIO NACIONAL.
México, D. F.
Arqs. Pedro Ramírez Vázquez, Ramiro González del Sordo, Fernando Beltrán y Fernando Peña.

229 AUDITORIO NACIONAL.
México, D. F.
Arqs. Pedro Ramírez Vázquez, Ramiro González del Sordo, Fernando Beltrán y Fernando Peña.

229 AUDITORIUM NATIONAL.
Mexico D. F.
Pedro Ramírez Vázquez, Ramiro González del Sordo. Fernando Beltrán, Fernando Peña, arch.

229 NATIONAL AUDITORIUM.
Mexico, D. F.
Architects Pedro Ramírez Vázquez, Ramiro González del Sordo, Fernando Beltrán and Fernando Peña.

229 NATIONALES AUDITORIUM.
Mexico, D. F.
Architekten: Pedro Ramírez Vázquez, Ramiro González del Sordo, Fernando Beltrán und Fernando Peña.

230 NATIONAL AUDITORIUM.
Mexico, D. F.
Architects Pedro Ramírez
Vázquez, Ramiro González
del Sordo, Fernando Beltrán and Fernando Peña.

230 AUDITORIUM NATIONAL.
Mexico D. F.
Pedro Ramírez Vázquez, Ramiro González del Sordo,
Fernando Beltrán, Fernando Peña, arch.

230 NATIONALES AUDITORIUM.
Mexico, D. F.
Architekten: Pedro Ramírez
Vázquez, Ramiro González
del Sordo, Fernando Beltrán und Fernando Peña.

231 AUDITORIO NACIONAL.
México, D. F.
Arqs. Pedro Ramírez Váz-
quez, Ramiro González del
Sordo, Fernando Beltrán
y Fernando Peña.

231 NATIONAL AUDITORIUM.
Mexico, D. F.
Architects Pedro Ramirez
Vazquez, Ramiro Gonzalez
del Sordo, Fernando Bel-
trán and Fernando Peña.

231 AUDITORIUM NATIONAL.
Mexico D. F.
Pedro Ramirez Vazquez, Ra-
miro Gonzalez del Sordo,
Fernando Beltrán, Fernan-
do Peña, arch.

231 NATIONALES AUDITORIUM.
Mexico, D. F.
Architekten: Pedro Ramirez
Vazquez, Ramiro González
del Sordo, Fernando Bel-
trán und Fernando Peña.

232   CINE "PARIS".
México, D. F.
Arq. Juan Sordo Madaleno.

232   CINEMA "PARIS".
Mexico, D. F.
Architect Juan Sordo
Madaleno.

232   CINEMA "PARIS".
Mexico D. F.
Juan Sordo Madaleno, arch.

232   FILMTHEATER "PARIS".
Mexico, D. F.
Architekt: Juan Sordo
Madaleno.

233   CINE "PARIS"
México, D. F.
Arq. Juan Sordo
Madaleno.

233　CINEMA "PARIS".
Mexico, D. F.
Architect Juan Sordo
Madaleno.

233　CINEMA "PARIS".
Mexico D. F.
Juan Sordo Madaleno,
arch.

233　FILMTHEATER "PARIS".
Mexico, D. F.
Architekt: Juan Sordo
Madaleno.

234 **CINE "ERMITA".**
México, D. F.
Arq. Juan Sordo
Madaleno.

234 **CINEMA "ERMITA".**
Mexico, D. F.
Architect Juan Sordo
Madaleno.

234 **CINEMA "ERMITA".**
Mexico D. F.
Juan Sordo Madaleno,
arch.

234 **FILMTHEATER "ERMITA".**
Mexico, D. F.
Architekt: Juan Sordo
Madaleno.

249 ESCUELA SUPERIOR DE IN-
GENIERIA Y ARQUITEC-
TURA.
Ciudad Politécnica.
México, D. F.
Arqs. Raúl Izquierdo y
Marcelo Aguilar.

249 SCHOOL OF ENGINEERING
AND ARCHITECTURE.
Polytechnic City.
Mexico, D. F.
Architects Raul Izquierdo and
Marcelo
Aguilar.

249 ÉCOLE SUPÉRIEURE D'INGE-
NIEURS ET D'ARCHITECTES.
Cité Polytechnique.
Mexico, D. F.
Raúl Izquierdo et Marcelo
Aguilar,
arch.

249 HOCHSCHULE FUER INGE-
NIEURE UND ARCHITEKTEN.
Zentrum der Polytechnischen
Hochschule.
México, D. F.
Architekten: Raul Izquierdo
und Marcelo Aguilar.

250   INTERNADO.
Ciudad Politécnica.
México, D. F.
Arq. José Luis Certucha.

250   RESIDENT STUDENTS'
BUILDING.
Polytechnic City.
Mexico, D. F.
Architect Jose Luis Certucha.

250   ÉDIFICE D'INTERNES.
Cité Polytechnique.
Mexico, D. F.
Jose Luis Certucha, arch.

250   WOHNGEBAEUDE
DER STUDENTEN.
Zertrum der Polytechnischen
Hochschule.
Mexico, D. F.
Architekt: José Luis Certucha.

HOY, 1956, EN CUICUILCO, MÉXICO
TODAY, 1956, IN CUICUILCO, MEXICO
AUJOURD'HUI, 1956, A CUICUILCO, MEXICO
HEUTE, 1956, IN CUICUILCO, MEXIKO

HOY, 1956, EN CUICUILCO, MEXICO

Después de haber pasado revista a la Arquitectura Mexicana a través de su historia y de haber visto en particular las manifestaciones principales de la época actual, se plantea al observador una interrogante lógica: ¿cuáles son las perspectivas para el futuro de la arquitectura en México? Ese futuro es indudablemente el de la nación misma en sus aspiraciones más íntimas. Ni un solo mexicano sin hogar, sin escuela o sin atención médica; lugares apropiados de recreo, de trabajo

y de oración. Los ideales son vastos y nobles, el entusiasmo y el esfuerzo de los arquitectos, grande, las posibilidades de realización material, limitadas. Lo fundamental es que la Arquitectura está llamada a plasmar los ideales nacionales, en su concreción material.

Nos sentimos herederos de *4,000 años de Arquitectura,* integrada por la tradición cultural más alta de la *América Indígena* y por una de las ramas más profundas de la *Cultura Occidental,* nuestra misión en el futuro no puede defraudar esos antecedentes.

TODAY, 1956, IN CUICUILCO, MEXICO

This review of the history of Mexican architecture and in particular the examples shown of its main tendencies at the present moment, will have prompted the visitor to ask a natural question: What are the prospects for the future of architecture in Mexico? That future is undoubtedly the same as that of the nation in its inmost aspirations: Not a single Mexican without a home, a school and medical attention; suitable places for recreation, work and prayer. The ideals are far-reaching and noble, and the architects' enthusiasm and efforts, great, while the opportunities for material realization are limited. The basic fact is that architecture is called upon to express the national ideals in concrete form.

We feel ourselves to be the heirs to *4,000 years of architecture,* a· synthesis of the highest cultural tradition of the *American Indian* and one of the most highly developed aspects of *Western Culture;* our work in the future must be worthy of such origins.

AUJOURD'HUI 1956, A CUICUILCO, MEXICO

Après avoir passé en revue l'Architecture Mexicaine tout au long de son histoire et avoir vu en particulier les manifestations principales de l'époque actuelle, l'observateur en vient à se poser logiquement cette question: Quelles sont les perspectives pour le futur de l'architecture au Mexique? Ce futur est sans aucun doute celui de la nation elle-même dans ses aspirations les plus intimes. Qu'il n'y ait pas un seul Mexicain sans foyer, sans école ou sans attention médicale; qu'il y ait des lieux appropriés pour le travail, la prière, et les amusements. Les idéaux sont vastes et nobles, et grands l'enthousiasme et les efforts des architectes, mais les possibilités de réalisation matérielle sont limités. Mais ce qui est fondamental, c'est que l'Architecture est appelée à réaliser les idéaux nationaux, en les mettant matériellement en pratique.

Nous nous sentons les héritiers de *4.000 ans d'architecture* où se trouvent synthétisés d'un côté la tradition culturelle la plus élevée de l'*Amérique Indigène* et de l'autre l'une des branches les plus profondes de la *Culture Occidentale.* Notre mission dans le futur doit être digne de ces antécédents.

HEUTE, 1956 IN CUICUILCO, MEXIKO

Nachdem man sich einen Ueberblick ueber die Mexikanische Architektur durch ihre gesamte Geschichte hindurch gebildet hat und dabei besonderes Augenmerk auf die Hauptausdrucksformen der Gegenwart gerichtet hat, draengt sich dem Beschauer eine logische Frage auf: welche sind die Perspektiven der Architektur in Mexiko fuer die Zukunft? Diese Zukunft ist zweifellos auch die der Nation selbst in ihren sehnlichsten Bestrebungen: Nicht ein einziger Mexikaner soll mehr ohne Heim, Schule oder aerztliche Betreuung sein; es sollen geeignete Orte fuer Erholung, Arbeit und Gebet geschaffen werden. Die Ideale sind hoch und edel, der Enthusiasmus und die Bemuehungen der Architekten gross, die Moeglichkeiten der materiellen Durchfuehrung aber beschraenkt. Das Grundsaetzliche ist, dass die Architektur dazu berufen ist, die nationalen Ideale durch ihre Bauwerke in fester Gestalt auszudruecken.

Wir fuehlen uns als die Erben einer *4000 Jahre alten Architektur,* in der sich die Tradition der hoechststehenden *Indianisch-Amerikanischen Kultur* mit den staerksten Einfluessen der *Westlichen Kultur* vereinigen; unsere grosse Aufgabe ist es, dieses Erbe nicht zu missachten.

242   **AEROPUERTO CENTRAL.**
México, D. F.
Arqs. Augusto H. Alvarez,
Enrique Carral, Manuel
Martínez Páez.

242   **CENTRAL AIRPORT.**
Mexico, D. F.
Architects Augusto H. Alvarez, Enrique Carral, Ma-
nuel Martínez Páez.

242   **AÉROPORT CENTRAL.**
Mexico D. F.
Augusto H. Alvarez, Enrique
Carral, Manuel Martínez
Páez, arch.

242   **ZENTRALFLUGHAFEN.**
Mexico, D. F.
Architekten: Augusto H. Alvarez, Enrique Carral, Manuel Martínez Páez.

243 **AEROPUERTO DE ACAPULCO.**
Acapulco, Guerrero.
Arqs. Mario Pani y Enrique del Moral.

243 **ACAPULCO AIRPORT.**
Acapulco State of Guerrero.
Architects Mario Pani, Enrique del Moral.

243 **AÉROPORT D'ACAPULCO.**
Acapulco, Et. de Guerrero.
Mario Pani, Enrique del Moral, arch.

243 **FLUGHAFEN VON ACAPULCO.**
Acapulco, Guerrero.
Architekten: Mario Pani und Enrique del Moral.

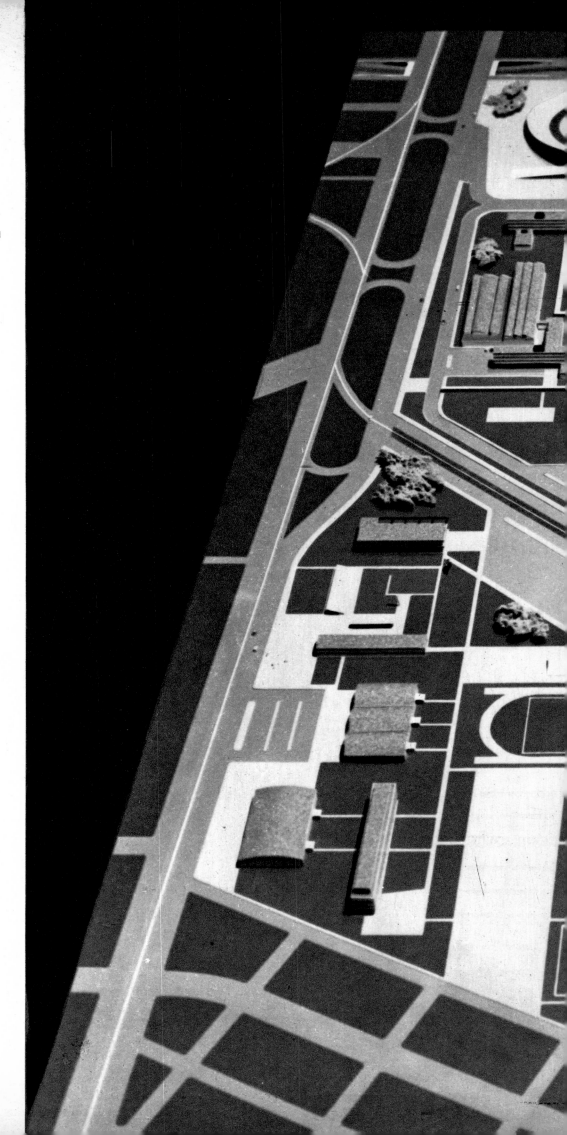

246 ESCUELA SUPERIOR DE
MEDICINA RURAL,
AUDITORIO.
Ciudad Politécnica.
México, D. F.
Arq. Manuel Monterruvio.

246 SCHOOL OF MEDICINE,
AUDITORIUM.
Polytechnic City.
Mexico, D. F.
Architect Manuel
Monterruvio.

246 ÉCOLE SUPÉRIEURE DE
MÉDICINE.
AUDITORIUM.
Cité Polytechnique.
Mexico, D. F.
Manuel Monterruvio, arch.

246 MEDIZINISCHE HOCHSCHU
LE AUDITORIUM.
Zentrum der Polytechnischen
Hochschule.
Mexico, D. F.
Architekt: Manuel Monterruvio.

247 ESCUELA SUPERIOR DE
INGENIERIA TEXTIL.
Ciudad Politécnica.
México, D. F.
Arq. Renato López
Quintero.

247 SCHOOL OF TEXTILE
ENGINEERING.
Polytechnic City.
Mexico, D. F.
Architect Renato Lopez
Quintero.

247 ÉCOLE SUPÉRIEURE D'IN-
DUSTRIE TEXTILE.
Cité Polytechnique.
Mexico, D. F.
Renato Lopez Quintero,
arch.

247 HOCHSCHULE FUER TEXTIL-
INDUSTRIE.
Zentrum der Polytechnischen
Hochschule.
Mexico, D. F.
Architekt: Renato López Quintero.

248 ESCUELA SUPERIOR DE CO-
MERCIO Y ADMINISTRA-
CION.
Ciudad Politécnica.
Mexico, D. F.
Arq. Jorge Cuevas Félix.

248 SCHOOL OF COMMERCE
AND ADMINISTRATION.
Polytechnic City.
Mexico, D. F.
Architect Jorge Cuevas

248 ÉCOLE SUPÉRIEURE DE
COMMERCE ET ADMI-
NISTRATION.
Cité Polytechnique.
Mexico, D. F.
Jorge Cuevas Félix, arch.

248 HANDELS— UND VERWAL-
TUNGSHOCHSCHULE.
Zentrum der Polytechnischen
Hochschule.
Mexico, D. F.
Architekt: Jorge Cuevas Felix.

235 CLUB DE GOLF MEXICO.
México, D. F.
Arqs. Enrique del Moral y
Mario Pani.

235 GOLF CLUB "MEXICO".
Mexico, D. F.
Architects Enrique del Moral and Mario Pani.

235 CLUB DE GOLF "MEXICO".
Mexico D. F.
Enrique del Moral, Mario
Pani, arch.

235 GOLFCLUB "MEXICO".
Mexico, D. F.
Architekten: Enrique del
Moral und Mario Pani.

236 CLUB DE GOLF MEXICO.
México, D. F.
Arqs. Enrique del Moral y
Mario Pani.

236 GOLF CLUB "MEXICO".
Mexico, D. F.
Architects Enrique del Mo-
ral and Mario Pani.

236 CLUB DE GOLF "MEXICO".
Mexico D. F.
Enrique del Moral, Mario
Pani, arch.

236 GOLFCLUB "MEXICO".
Mexico, D. F.
Architekten: Enrique del
Moral und Mario Pani.

237 IGLESIA DE NUESTRA SEÑO-
RA REINA DE LA PAZ.
México, D. F.
Arqs. Ernesto Gómez Ga-
llardo y Ricardo de Robina.

237 CATHOLIC CHURCH.
Mexico, D. F.
Architects Ernesto Gómez
Gallardo and Ricardo de
Robina.

237 EGLISE CATHOLIQUE.
Mexico D. F.
Ernesto Gómez Gallardo,
Ricardo de Robina,
arch.

237 KATHOLISCHE KIRCHE.
Mexico, D. F.
Architekten: Ernesto Gómez
Gallardo und Ricardo de
Robina.

IGLESIA CATÓLICA.
México, D. F .
Arq. Félix Candela.

CATHOLIC CHURCH.
Mexico, D. F.
Architect Félix Candela.

EGLISE CATHOLIQUE.
Mexico D. F.
Félix Candela, arch.

KATHOLISCHE KIRCHE.
Mexico, D. F.
Architekt: Félix Candela.

239 AEROPUERTO CENTRAL.
México, D. F.
Arqs. Augusto H. Alvarez,
Enrique Carral, Manuel
Martínez Páez.

239 CENTRAL AIRPORT.
Mexico, D. F.
Architects Augusto H. Alvarez, Enrique Carral, Ma-
nuel Martínez Páez.

239 AÉROPORT CENTRAL.
Mexico D. F.
Augusto H. Alvarez, Enrique
Carral, Manuel Martínez
Páez, arch.

239 ZENTRALFLUGHAFEN.
Mexico, D. F.
Architekten: Augusto H. Alvarez, Enrique Carral, Manuel Martínez Páez.

241 AEROPUERTO CE
México, D. F.
Arqs. Augusto H.
Enrique Carral, M
Martínez Páez.

240 AEROPUERTO CENTRAL.
México, D. F.
Arqs. Augusto H. Alvarez,
Enrique Carral, Manuel
Martínez Páez.

240 CENTRAL AIRPORT.
Mexico, D. F.
Architects Augusto H. Alvarez, Enrique Carral, Ma-
nuel Martínez Páez.

240 AÉROPORT CENTRAL.
Mexico D. F.
Augusto H. Alvarez, Enrique
Carral, Manuel Martínez
Páez, arch.

240 ZENTRALFLUGHAFEN.
Mexico, D. F.
Architekten: Augusto H. Alvarez, Enrique Carral, Manuel Martínez Páez.

241 CENTRAL AIRPORT.
Mexico, D. F.
Architects Augusto H. Alvarez, Enrique Carral, Ma-
nuel Martínez Páez.

241 AÉROPORT CENTRAL.
Mexico D. F.
Augusto H. Alvarez, Enrique
Carral, Manuel Martínez
Páez, arch.

241 ZENTRALFLUGHAFEN.
Mexico, D. F.
Architekten: Augusto H. Alvarez, Enrique Carral, Manuel Martínez Páez.

252 BIBLIOTECA.
Ciudad Universitaria.
Arqs. Juan O'Gorman, Gustavo Saavedra y Juan
Martínez de Velasco.

252 LIBRARY.
University City.
Architects Juan O'Gorman,
Gustavo Saavedra and
Juan Martínez de Velasco.

252 BIBLIOTHÈQUE.
Cité Universitaire.
Juan O'Gorman, Gustavo
Saavedra, Juan Martínez
de Velasco, arch.

252 BIBLIOTHEK.
Universitaetsstadt.
Architekten: Juan O'Gorman,
Gustavo Saavedra und Juan
Martínez de Velasco.

254   CONJUNTO DE
HUMANIDADES.
Ciudad Universitaria.

254   SCHOOLS OF PHILOSOPHY,
ECONOMICS AND LAW.
University City.

254 ENSEMBLE
D'HUMANITÉS.
Cité Universitaire.

254 STAETTE SAEMTLICHER HU-
MANISTISCHER STUDIEN.
Universitaetsstadt.

255 FACULTAD DE CIENCIAS E
INSTITUTOS.
Ciudad Universitaria.
Arqs. Raúl Cacho, Eugenio
Peschard y Félix Sánchez B.

255 FACULTÉ DES SCIENCES ET
INSTITUTS.
Cité Universitaire.
Raúl Cacho, Eugenio Pes-
chard, Félix Sánchez
Baylor, arch.

255 SCIENCE BUILDING.
University City.
Architects Raúl Cacho, Eu
genio Peschard and Félix
Sánchez Baylor.

255 GEBAEUDE DER GENAUEN
WISSENSCHAFTEN.
Universitaetsstadt.
Architekten: Raúl Cacho,
Eugenio Peschard und Félix
Sánchez Baylor.

256 FACULTAD DE FILOSOFIA Y
LETRAS E INSTITUTOS.
Ciudad Universitaria.
Arqs. Enrique de la Mora,
Manuel de la Colina y
Enrique Landa.

256 SCHOOL OF PHILOSOPHY
AND INSTITUTES.
University City.
Architects Enrique de la
Mora, Manuel de la Coli-
na and Enrique Landa.

256 FACULTÉ DE PHILOSOPHIE
ET LETTRES ET INSTITUTS.
Cité Universitaire.
Enrique de la Mora, Manuel
de la Colina, Enrique
Landa, arch.

256 PHILOSOPHISCHE FAKUL-
TAET UND SEMINARE.
Universitaetsstadt.
Architekten: Enrique de la
Mora, Manuel de la Co-
lina und Enrique Landa.

257 ESCUELA DE
JURISPRUDENCIA.
Ciudad Universitaria.
Arqs. Alonso Mariscal y
Ernesto Gómez Gallardo.

257 SCHOOL OF LAW.
University City.
Architects Alonso Mariscal
and Ernesto Gómez
Gallardo.

257 ÉCOLE DE DROIT.
Cité Universitaire.
Alonso Mariscal, Ernesto
Gómez Gallardo,
arch.

257 JURISTISCHE FAKULTAET.
Universitaetsstadt.
Architekten: Alonso Maris-
cal und Ernesto Gómez
Gallardo.

258 ESCUELA DE ECONOMIA.
Ciudad Universitaria.
Arqs. Vladimir Kaspé y
José Hanhausen.

258 ÉCOLE D'ÉCONOMIE.
Cité Universitaire.
Vladimir Kaspé, José Han-
hausen,
arch.

258 SCHOOL OF ECONOMICS.
University City.
Architects Vladimir Kaspé
and José Hanhausen.

258 HOCHSCHULE FUER
WIRTSCHAFT.
Universitaetsstadt.
Architekten: Vladimir Kaspé
und José Hanhausen.

261 ESCUELA DE INGENIERIA.
Ciudad Universitaria.
Arqs. Francisco J. Serrano,
Fernando Pineda y Luis
McGregor.

261 SCHOOL OF ENGINEERING.
University City.
Architects Francisco J. Serrano, Fernando Pineda
and Luis McGregor.

261 ÉCOLE D'INGENIEURS.
Cité Universitaire.
Francisco J. Serrano, Fernando Pineda, Luis McGregor,
arch.

261 TECHNISCHE
HOCHSCHULE.
Universitaetsstadt.
Architekten: Francisco E. Se-
rrano, Fernando Pineda
und Luis McGregor.

262 ESCUELA DE
ARQUITECTURA.
Ciudad Universitaria.
Arqs. José Villagrán García,
Javier García Lascuráin y
Alfonso Liceaga.

262 SCHOOL OF ARCHITECTURE
University City.
Architects José Villagrán García,
Javier García Lascuráin
and Alfonso Liceaga.

262 ÉCOLE D'ARCHITECTURE.
Cité Universitaire.
José Villagrán García, Ja-
vier García Lascuráin,
Alfonso Liceaga, arch.

262 HOCHSCHULE FUER
ARCHITEKTUR.
Universitaetsstadt.
Architekten: José Villagrán
García, Javier García Las-
curáin und Alfonso Li-
ceaga.

263   MUSEO DE ARTE ANEXO A
LA ESCUELA DE
ARQUITECTURA.
Ciudad Universitaria.
Arqs. José Villagrán García,
Javier García Lascuráin y
Alfonso Liceaga.

263   MUSÉE D'ART ANNEXE À
L'ÉCOLE D'ARCHITECTURE.
Cité Universitaire.
José Villagrán García, Ja-
vier García Lascuráin,
Alfonso Liceaga,
arch.

263   ART MUSEUM, ANNEX OF
SCHOOL OF ARCHITECTU-
RE.
University City.
Architects José Villagrán García
Javier García Lascuráin
and Alfonso Liceaga.

263   KUNSTMUSEUM ANBAU DER
HOCHSCHULE FUER
ARCHITEKTUR.
Universitaetsstadt.
Architekten: José Villagrán
García, Javier García Lascu-
ráin und Alfonso Liceaga.

264 INSTITUTO DE GEOLOGÍA.
Ciudad Universitaria.
Arqs. Luis Martínez Negrete, Juan Sordo Madaleno
y José Luis Certucha.

264 INSTITUTE OF GEOLOGY.
University City.
Architects Luis Martínez Negrete, Juan Sordo Mada-
leno and José Luis Certucha.

264 INSTITUT DE GÉOLOGIE.
Cité Universitaire.
Luis Martínez Negrete, Juan
Sordo Madaleno, José Luis
Certucha,
arch.

264 GEOLOGISCHES INSTITUT.
Universitaetsstadt.
Architekten: Luis Martínez
Negrete, Juan Sordo Ma-
daleno und José Luis
Certucha.

265 ESCUELA DE VETERINARIA.
Ciudad Universitaria.
Arqs. Félix Tena, Carlos So·
lórzano y Fernando Barbará
Zetina.

265 SCHOOL OF VETERINARY
MEDICINE.
University City.
Architects Félix Tena, Car·
los Solórzano y Fernando Barbará Zetina.

265 **ÉCOLE VÉTÉRINAIRE.**
Cité Universitaire.
Félix Tena, Carlos Solórzano,
Fernando Barbará Zetina,
arch.

265 **INSTITUT FUER
TIERMEDIZIN.**
Universitaetsstadt.
Architekten: Félix Tena, Carlos
Solórzano und Fernando Barbará Zetina.

266 **ESCUELA DE MEDICINA.**
Ciudad Universitaria.
Arqs. Roberto Alvarez Espinosa, Pedro Ramírez Vázquez, Ramón Torres y Héctor Velázquez.

266 **SCHOOL OF MEDICINE.**
University City.
Architects Roberto Alvarez Espinosa, Pedro Ramírez Vázquez, Ramón Torres and Héctor Velázquez.

266 **ÉCOLE DE MÉDECINE.**
Cité Universitaire.
Roberto Alvarez Espinosa, Pedro Ramírez Vázquez, Ramón Torres, Héctor Velázquez, arch.

266 **MEDIZINISCHE FAKULTAET.**
Universitaetsstadt.
Architekten: Roberto Alvarez Espinosa, Pedro Ramírez Vázquez, Ramón Torres und Héctor Velázquez.

267 ESCUELA DE MEDICINA.
Ciudad Universitaria.
Arqs. Roberto Alvarez Espi-
nosa, Pedro Ramírez Váz-
quez, Ramón Torres y
Héctor Velázquez.

267 SCHOOL OF MEDICINE.
University City.
Architects Roberto Alvarez
Espinosa, Pedro Ramírez
Vázquez, Ramón Torres
and Héctor Velázquez.

267 ÉCOLE DE MÉDEICINE.
Cité Universitaire.
Roberto Alvarez Espinosa,
Pedro Ramírez Vázquez,
Ramón Torres, Héctor Ve-
lázquez, arch.

267 MEDIZINISCHE FAKULTAET.
Universitaetsstadt.
Architekten: Roberto Alvarez Espinosa, Pedro Ramí-
rez Vázquez, Ramón Torres
und Héctor Velázquez.

260 ESCUELA DE
ODONTOLOGÍA.
Ciudad Universitaria.
Arqs. Carlos Reygadas, Sil-
vio Margáin y Jesús Aguilar.

260 ÉCOLE D'ODONTOLOGIE.
Cité Universitaire.
Carlos Reygadas, Silvio
Margain, Jesús Aguilar,
arch.

260 SCHOOL OF DENTISTRY.
University City.
Architects Carlos Reygadas,
Silvio Margain and Jesús
Aguilar.

260 ZAHNAERZTLICHES INSTITUT.
Universitaetsstadt.
Architekten: Carlos Reyga-
das, Silvio Margain und
Jesús Aguilar.

269 INSTITUTO DE BIOLOGÍA.
Ciudad Universitaria.
Arqs. Domingo García Ra-
mos y Homero Martínez
de Hoyos.

269 INSTITUTE OF BIOLOGY.
University City.
Architects Domingo García
Ramos and Homero Mar-
tínez de Hoyos.

269 INSTITUT DE BIOLOGIE.
Cité Universitaire.
Domingo García Ramos, Ho-
mero Martínez de Hoyos,
arch.

269 BIOLOGISCHES INSTITUT.
Universitaetsstadt.
Architekten: Domingo Gar-
cía Ramos und Homero
Martínez de Hoyos.

270 INSTITUTO DE FÍSICA
NUCLEAR.
Ciudad Universitaria.
Arq. Jorge González
Reyna.

270 INSTITUTE OF NUCLEAR
PHYSICS.
University City.
Architect Jorge González
Reyna.

270 INSTITUT DE PHYSIQUE
NUCLÉAIRE.
Cité Universitaire.
Jorge González Reyna,
arch.

270 INSTITUT FUER
KERNPHYSIK.
Universitaetsstadt.
Architekt: Jorge González
Reyna.

272   CLUB CENTRAL.
Ciudad Universitaria.
Arqs. Jorge Rubio, Eugenio
Urquiza y Carlos B.
Zetina.

272   CENTRAL CLUB.
University City.
Architects Jorge Rubio, Eugenio Urquiza and Carlos
B. Zetina.

272 CLUB CENTRAL.
Cité Universitaire.
Jorge Rubio, Eugenio Urquiza, Carlos B. Zetina,
arch.

272 "CLUB CENTRAL".
Universitaetsstadt.
Architekten: Jorge Rubio,
Eugenio Urquiza und
Carlos B. Zetina.

273 ESTADIO.
Ciudad Universitaria.
Arqs. Augusto Pérez Pala-
cios, Raúl Salinas Moro y
Jorge Bravo Jiménez.

273 STADIUM.
University City.
Architects Augusto Pérez
Palacios, Raúl Salinas Mo-
ro and Jorge Bravo Jiménez.

273 STADE.
     Cité Universitaire.
     Augusto Pérez Palacios, Raúl
     Salinas Moro, Jorge Bravo,
     Jiménez. arch.

273 STADION.
     Universitaetsstadt.
     Architekten: Augusto Pérez
     Palacios, Raúl Salinas Mo-
     ro und Jorge Bravo Jiménez.

274   ESTADIO.
      Ciudad Universitaria.
      Arqs. Augusto Pérez, Pala-
      cios, Raúl Salinas Moro y
      Jorge Bravo Jiménez.

274   STADIUM.
      University City.
      Architects Augusto Pérez
      Palacios, Raúl Salinas Mo-
      ro and Jorge Bravo Jiménez.

274 STADE.
   Cité Universitaire.
   Augusto Pérez Palacios, Raúl
   Salinas Moro, Jorge Bravo
   Jiménez. arch.

274 STADION.
   Universitaetsstadt.
   Architekten: Augusto Pérez
   Palacios, Raúl Salinas Mo-
   ro und Jorge Bravo Jiménez.

275 ESTADIO.
Ciudad Universitaria.
Arqs. Augusto Pérez Pala-
cios, Raúl Salinas Moro y
Jorge Bravo
Jiménez.

275 STADIUM.
University City.
Architects Augusto Pérez
Palacios, Raúl Salinas Mo-
ro and Jorge Bravo Ji-
ménez.

275 STADE.
Cité Universitaire.
Augusto Pérez Palacios, Raúl
Salinas Moro, Jorge Bravo,
arch.

275 STADION.
Universitaetsstadt.
Architekten: Augusto Pérez
Palacios, Raúl Salinas Mo-
ro und Jorge Bravo Jiménez.

277 BAÑOS, VESTIDORES DE MU-
JERES Y LAGO DE
NATACIÓN.
Ciudad Universitaria.
Arqs. Félix T. Nuncio, Igna-
cio L. Bancalari y Enrique
Molinar.

277 WOMEN'S SHOWERS AND
DRESSINGROOMS AND
SWIMMINGPOOL.
University City.
Architects Félix T. Nuncio,
Ignacio L. Bancalari and
Enrique Molinar.

277 BAINS VESTIAIRES DE FEM-
MES ET LAC DE NATATION.
Félix T. Nuncio, Ignacio L.
Bancalari, Enrique Moli-
nar, arch.

277 DUSCHRAEUME, UMKLEIDE-
RAEUME FUER FRAUEN UND
SCHWIMMBECKEN.
Universitaetsstadt.
Architekten: Félix T. Nuncio,
Ignacio L. Bancalari und
Enrique Molinar.

279	FRONTONES.	279	FRONTON COURTS	279	FRONTONS.	279	FRONTON-SPIELPLAETZE.
	Ciudad Universitaria.		University City.		Cité Universitaire.		Universitaetsstadt.
	Arq. Alberto T. Arai.		Architect Alberto T. Arai.		Alberto T. Arai, arch.		Architekt: Alberto T. Arai.

280   **FRONTONES.**
Ciudad Universitaria.
Arq. Alberto T. Arai.

280   **FRONTON COURTS.**
University City.
Architect Alberto T. Arai.

280   **FRONTONS.**
Cité Universitaire.
Alberto T. Arai, arch.

280   **FRONTON-SPIELPLAETZE.**
Universitaetsstadt.
Architekt: Alberto T. Arai.

283   EDIFICIO DE INTERNADO.
Ciudad Universitaria.
Arq. Jorge L. Medellín.

283   ÉDIFICE D'INTERNES.
Cité Universitaire.
Jorge L. Medellín, arch.

283   RESIDENT STUDENTS' BUILD-
ING. University City.
Architect Jorge L. Medellín.

283   WOHNGEBAEUDE DER
STUDENTEN. Universitaetsstadt.
Architekt Jorge L. Medellín.

285   "PROMETHEUS".
University City.
Rodrigo Arenas B.,
sculptor.

285   "PROMETHÉE".
Cité Universitaire.
Rodrigo Arenas Betancourt,
sculpteur.

285   "PROMETEUS".
Bildhauer Rodrigo Arenas
Betancourt.
Universitaetsstadt.

286   VISTA AÉREA DE LA CIU-
DAD UNIVERSITARIA.
San Angel, D. F.

286   UNIVERSITY CITY.
San Angel, D. F.

286   CITÉ UNIVERSITAIRE.
San Angel, D. F.

286   UNIVERSITAETSSTADT.
San Angel, D. F.

Miembros de la Sociedad de Arquitectos Mexicanos que intervinieron en la realización de la Ciudad Universitaria de México.

Members of the Society of Mexican Architects who participated in the building of the University City of Mexico.

Membres de la Société des Architectes Mexicains qui participèrent dans l'execution de la Cité Universitaire.

Mitglieder der Vereinigung Mexikanischer Architekten, die an dem Bauen des Universitaetsstadt Mexikos teilnahmen.

GERENTE GENERAL   GENERAL MANAGER
DIRECTEUR GÉNÉRAL   GESCHAEFTSDIREKTOR

Arq. Carlos Lazo

GERENCIA DE PLANES E INVERSIONES
PLANS ET INVERSIONS
PLANS AND INVESTMENTS
PLAENE UND KAPITALANLAEGE

Arq Gustavo García Travesí

DIRECCION DEL PROYECTO DE CONJUNTO
DIRECTION DU PROJET D'ENSEMBLE
DIRECTION OF TOTAL PROJECT
LEITUNG DER GESAMTENTWURF

Arqs. Enrique del Moral, y Mario Pani

DIRECTORES DE OBRAS   DIRECTORS OF THE WORKS
DIRECTEURS DES TRAVAUX   LEITUNG DER BAUWERKE

Aguilar Jesús, Alvarez Augusto H., Alvarez Espinosa Roberto, Amabilis Max, Arai Alberto T., Bancalari Ignacio L., Barbará Zetina Fernando, Barragán Luis, Bravo Jiménez Jorge, Cacho Raúl, Candela Félix, Carral Enrique, Certucha José Luis, De la Colina Manuel, De la Mora Enrique, Del Moral Enrique, García Lascuráin Javier, García Ramos Domingo, Gómez Gallardo Ernesto, González Reyna Jorge, Greenham Santiago, Guerrero Enrique, Gutiérrez Camarena Marcial, Gutiérrez D. Rolando, Hanhausen José, Kaspé Vladimir, Landa Enrique, Liceaga Alfonso, Mariscal Alonso, Marcos Ramón, Margain Silvio, McGregor Luis, Martínez de Hoyos Homero, Martínez de Velasco Juan, Martínez Negrete Luis, Martínez Páez Manuel, Medellín Jorge L., Méndez Llinas Emilio, Molinar Enrique, Novoa César, Nuncio Félix T., O'Gorman Juan, Ortega Salvador, Pani Mario, Pérez Palacios Augusto, Peschard Eugenio, Pineda Fernando, Pizarro Manuel, Ramírez Vázquez Pedro, Reygadas Carlos, Rivadeneyra Luis, Rosell Guillermo, Saavedra Gustavo, Salinas Moro Raúl, Sánchez Baylón Félix, Serrano Francisco J., Solórzano Carlos, Sordo Madaleno Juan, Tena Félix, Torres Ramón, Velázquez Héctor, Villagrán García José, Yáñez Enrique.

FOTOGRAFIAS   PHOTOGRAPHS
PHOTOGRAPHIES   PHOTOGRAPHIEN

Agustín Maya, Guillermo Zamora, Salas Portugal, Cía. Mexicana
Aerofoto, Archivo de la Sociedad de Arquitectos Mexicanos.

DIBUJOS DE RECONSTRUCCION   RECONSTRUCTIVE DRAWINGS
DESSINS DE RECONSTRUCTION   RECONSTRUKTIONSZEICHNUNG

Arq. Ignacio Marquina

FE DE ERRATAS

Pág. 152, fotografía 120, dice: Arqs. Eugenio
Ortiz Rubio, Jorge Hernández de Anda. Debe
decir: Arq. Enrique Cervantes Sánchez. Pág.
182, fotografía 163, debe omitirse Arq. Enrique Yáñez.

ERRATA

P. 152, photography 120, instead of Architects
Eugenio Ortiz Rubio, Jorge Hernández de
Anda, read Architect Enrique Cervantes Sán-
chez.

ERRATA

P. 152, photographie 120, au lieu de Eugenio
Ortiz Rubio, Jorge Hernández de Anda, arch.,
lire Enrique Cervantes Sánchez, arch.

DRUCKFEHLERVERZEICHNIS

P. 152, Photographie 120, an Stelle von
Architekten Eugenio Ortiz Rubio und Jorge
Hernández de Anda, lese man Architekt En-
rique Cervantes Sánchez. P. 3 und 7, an
Stelle von Architektor, lese man Architektur.

INDICE
TABLE OF CONTENTS
TABLE DES MATIERES
INHALTSVERZEICHNIS

Esta edición, que consta de 4,000 ejemplares, se acabó de imprimir
el día 30 de octubre de 1956 en los Talleres Gráficos de la Editorial
Helio-México, calle Geranio, 262 (Col. Santa María Insurgentes) de
México, D. F., y estuvo al cuidado de Juan Madrid, director artístico
de Libreros Mexicanos Unidos, S. de R. L. de C. V.

The printing of the 4,000 copies of this edition was finished on
October 30, 1956, at the Talleres Gráficos de la Editorial Helio-
México, calle Geranio, 262 (Col. Santa María Insurgentes), Mexico
City and was supervised by Juan Madrid, Art Director of Libreros
Mexicanos Unidos, S. de R. L. de C. V.

Cette édition de 4,000 exemplaires a été acheveé d'imprimer le 30
octobre 1956 sur les presses des Talleres Gráficos de la Editorial
Helio-México, calle Geranio, 262 (Col. Santa María Insurgentes),
de Mexico, D. F. sous les soins de Juan Madrid, Directeur Artistique
de Libreros Mexicanos Unidos, S. de R. L. de C. V.

Der Druck dieser Auflage die aus 4,000 Kopien besteht, wurde am
30 Oktober 1956 in Talleres Gráficos de la Editorial Helio-México,
calle Geranio, 262 (Col. Santa María Insurgentes) Stadt Mexiko
unter der Aufsicht von Juan Madrid, artisticher Direktor der Libreros
Mexicanos Unidos, S. de R. L. de C. V. beendet.